Os animais têm alma?

ERNESTO BOZZANO

Os animais têm alma?

Cento e trinta casos de manifestações de assombração,
aparições e fenômenos supranormais com animais

Tradução e Prefácio
Francisco Klörs Werneck

LaChâtre

Copyright by © Instituto Lachâtre
Do original *Animali e Manifestazioni Metapsichici*

Instituto Lachâtre
Rua Dom Bosco, 44, Mooca – CEP 03105-020
São Paulo – SP
Telefone: 11 2277-1747
Site: www.lachatre.org.br
E-mail: editora@lachatre.org.br

9ª edição – 2ª reimpressão – Setembro de 2021
2.000 exemplares

Impresso no Brasil – *Presita en Brazilo*

Tradução e Prefácio
Francisco Klörs Werneck

Programação visual de capa
Andrei Polessi

Projeto gráfico de miolo
Fernando Luiz Fabris

A reprodução parcial ou total desta obra, por qualquer meio, somente será permitida com a autorização por escrito da editora.
(Lei n° 9.610 de 19.02.1998)

CIP-Brasil. Catalogação na fonte

P793a   Bozzano, Ernesto, 1862-1943
           Os animais têm alma? / Ernesto Bozzano; tradução e prefácio de Francisco Klörs Werneck – 9ª ed., 2ª reimpressão – São Paulo: Instituto Lachâtre, setembro de 2021.
           160 p.

Tradução de *Animali e manifestazioni metapsichici*
ISBN: 978-85-65518-04-8

1. Espiritismo. 2. Espiritismo-manifestações metapsíquicas. 3. Animais-manifestações metapsíquicas. 4. Alucinações telepáticas. I. Werneck, Francisco Klörs. II. Título.

CDD 133.9   CDU 133.7

Sumário

Prefácio da edição brasileira, 7

Prefácio, 9

Primeira categoria: alucinações telepáticas nas quais um animal desempenha o papel de agente, 13

Segunda categoria: alucinações telepáticas nas quais um animal é o percipiente, 41

Terceira categoria: alucinações telepáticas percebidas coletivamente pelo animal e pelo homem, 45

Quarta categoria: visões de espíritos humanos tidas fora de qualquer coincidência telepática e percebidas coletivamente por homens e animais, 57

Quinta categoria: animais e premonições de morte, 77

    Primeiro subgrupo: manifestações premonitórias de morte percebidas coletivamente por homens e por animais, 78

    Segundo subgrupo: aparições de animais sob forma simbólico-premonitória, 81

    Terceiro subgrupo: premonições de morte nas quais os animais são percipientes, 82

Sexta categoria: animais e fenômenos de assombração, 89

Primeiro subgrupo: manifestações de assombração percebidas por animais, 89

Segundo subgrupo: aparição de animais em lugares assombrados, 100

Sétima categoria: materializações de animais, 113

Oitava categoria: visão e identificação de fantasmas de animais mortos, 123

Conclusões, 147

Homenagem a Ernesto Bozzano, 155

O autor, 157

Prefácio da Edição Brasileira

Preocupados geralmente com os problemas da vida, não dão os homens certa atenção aos grandes e pequenos seres da criação como os cavalos, cães, gatos etc., e mesmo alguns estranhos, como se eles não tivessem também uma alma, não possuíssem sentimentos afetivos e mesmo faculdades surpreendentes que este livro vai demonstrar com abundância.

Há animais que se suicidam por amor, saudade, tédio, remorso e até vergonha. Certos animais têm mesmo o senso da morte, como os cavalos e os bois, que se recusam a entrar no matadouro, advertidos misteriosamente do que os espera lá dentro. Animais como os cães se deixam morrer depois da morte de seus donos, tal a desesperada saudade que sentem deles. Têm até mesmo estranho afeto, como o de um célebre cavalo de corrida que se tomou de tal afeição por uma cabra que não podia separar-se dela, a qual tinha que ir para onde ele fosse.

Existem casos surpreendentes com os animais, principalmente com os cães, que parecem ser os mais evoluídos na escala animal. Um, por exemplo, daquele cão feroz que avançou resolutamente contra um de sua espécie, que quedava tranquilamente na beira da calçada, e estacou, trêmulo e aterrado, ao aproximar-se do outro, que não percebeu o menor sinal de sua aproximação. Tratava-se de um animal cego. Outro, o de conhecido cirurgião que encontrou na rua um cão com a pata esmagada e tratou dele na sua própria casa. Doze meses se passaram até que estranhos arranhões na porta de sua residência o levaram a ver do que se tratava. Era o mesmo cão que levava um seu semelhante, nas mesmas condições em que se achara, para o médico tratar.

Um outro ainda, mas, desta vez, com ratos. Um tropeiro passava por uma estrada quando os seus olhos descobriram dois ratos que caminhavam um ao lado do outro, levando ambos uma palhinha, segurando um uma ponta e o outro, a outra. Teve a ideia de matá-los com o porrete que levava na mão. O primeiro, atingido pela pancada, fugiu, sem dar sinais de desespero, e o outro pára um tanto perplexo de que o outro se tenha posto em fuga. Verifica então ele que a sua imobilidade se devia ao fato de ser cego. O outro lhe servia de guia nas trevas da cegueira.

Que inteligências extraordinárias nos demonstraram, nos filmes cinematográficos, o cão Rin-tin-tin, a cadela Lassie e as macacas Chita e Judy!

Não preciso dizer mais para que o leitor perceba que vai ler um livro admirável como este sobre os nossos irmãos ditos inferiores e irracionais.

Francisco Klörs Werneck

Prefácio

Já se observou muitas vezes, a propósito das manifestações metapsíquicas, em que os homens são agentes ou percipientes, que elas foram conhecidas em todas as épocas e por todos os povos, mas não se pode dizer a mesma coisa nos casos em que o papel de agente ou percipiente é desempenhado por animais. Naturalmente que as manifestações metapsíquicas, em que os protagonistas são animais, não podem deixar de estar circunscritas em limites de realização mais modestos do que quando os protagonistas são seres humanos, pois esses limites correspondem às capacidades intelectuais das espécies animais com as quais os fatos se produzem. Entretanto, eles parecem mais notáveis do que se poderia supor à primeira vista. Entre esses fenômenos encontram-se, com efeito, episódios telepáticos em que os animais não desempenham somente o papel de percipientes, mas também o de agentes, episódios concernentes a animais que percebem, ao mesmo tempo que os homens, espíritos e outras manifestações supranormais fora de toda coincidência telepática e, finalmente, episódios em que os animais percebem, coletivamente com o homem, as manifestações que acontecem nas localidades assombradas. Deve-se acrescentar ainda a estas categorias episódios de materializações de formas de animais obtidas experimentalmente e, enfim, aparições *post-mortem* de formas de animais *identificados*, circunstância que apresenta um valor teórico considerável, já que permite apoiar a hipótese da sobrevivência da psique animal.

O exame deste ramo dos fenômenos metapsíquicos foi completamente esquecido até aqui, embora nas revistas metapsíquicas e, sobretudo, nas coleções dos *Proceedings* e do *Journal* da excelente *Society for*

Psychical Research, de Londres, encontrem-se numerosos casos do gênero, mas esses casos nunca foram recolhidos, classificados e analisados por ninguém, tendo-se, aliás, escrito e discutido bem pouco a respeito deles. Não há, pois, grande coisa a se resumir relativamente às teorias formuladas a este respeito.

Observarei apenas que, nos comentários de certo caso isolado pertencente à classe mais numerosa dos fenômenos em questão, isto é, aquela na qual os animais percebem, juntamente com o homem, as manifestações de telepatia ou de assombração, propõe-se a hipótese segundo a qual as percepções psíquicas dessa natureza extrairiam a sua origem de um fenômeno alucinatório criado pelos centros de idealização de um agente humano e transmitido em seguida, inconscientemente, aos centros homólogos do animal presente e percipiente.

Para uma outra classe de fenômenos e precisamente para a das aparições de formas de animais, supõe-se um fenômeno de alucinação pura e simples da parte do percipiente, mas a análise comparada dos fatos mostra que, muitas vezes, as formas de animais são percebidas coletiva e sucessivamente. Elas são, além disto, identificadas com as de animais que viveram e morreram na localidade, e mais, que os percipientes ignoravam que esses animais, vistos nessas condições, tivessem existido.

Assim sendo, é preciso concluir que, de modo geral, as duas hipóteses de que acabo de tratar são insuficientes para considerar os fatos. Esta conclusão é de uma grande importância teórica, pois que ela nos força a admitir a existência de uma subconsciência animal, depositária das mesmas faculdades supranormais que existem na subconsciência humana e, ao mesmo tempo, ela nos leva a reconhecer a possibilidade de 'aparições verídicas' de formas ou almas de animais.

Resulta daí todo o valor científico e filosófico deste novo ramo das pesquisas psíquicas. Ele nos permite prever que devemos, antes, considerá-lo para estabelecer, em bases sólidas, a nova 'ciência da alma', que ficaria incompleta e mesmo inexplicável sem a contribuição que lhe trazem o exame analítico e as conclusões sintéticas relativamente à psique animal, o que me reservo demonstrar no momento preciso.

Inútil observar que não pretendo, de modo algum, que esta classificação – a primeira tentada sobre o assunto – baste para analisar a fundo um tema tão vasto e de grande importância metapsíquica, científica, filosófica. Rejubilo-me unicamente de ter levado uma primeira contribuição eficaz às novas pesquisas e de ter com isso despertado o interesse de pessoas que se ocupam com estes estudos, favorecendo assim o acúmulo ulterior do material bruto dos fatos, o que parece indispensável para fazer confinar as pesquisas sobre este jovem ramo das doutrinas metapsíquicas.

Enfim, se se quiser indicar a época em que se começou a levar à séria consideração as manifestações metapsíquicas dos animais, dever-se-ia indicar o famoso incidente de telepatia canina do qual o conhecido romancista inglês *sir* Rider Haggard foi o percipiente, incidente que se produziu em condições tais que é impossível duvidar-se dele.

Como resultado de uma dessas condições providenciais de tempo, de lugar, de meio, que se encontra bastas vezes no começo da história dos novos ramos da ciência, surgiu na Inglaterra um interesse inesperado, quase exagerado: os jornais políticos se apoderaram dele e o discutiram longamente, do mesmo modo que as revistas de variedades e as revistas metapsíquicas, determinando um ambiente favorável para as novas pesquisas.

É, portanto, oportuno começar a classificação das 'manifestações metapsíquicas dos animais' pelo caso telepático no qual o percipiente foi o romancista Rider Haggard.

Primeira Categoria

Alucinações Telepáticas nas quais um Animal Desempenha o Papel de Agente

Caso I – (Em sonho, com indício aparente de posse) – É o caso Haggard, que me limitarei a narrar tal como foi resumido, com a maior exatidão, na edição de julho de 1904 da *Revue des Études Psychiques*, enviando o leitor que desejar detalhes mais amplos ao número de outubro de 1904 do *Journal of the Society for Psychical Research*. Ei-lo:

O sr. Rieder Haggard conta que se tinha deitado tranquilamente lá pela uma hora da madrugada do dia 10 de julho. Uma hora depois, a sra. Haggard, que dormia no mesmo quarto, ouviu o seu marido gemer e emitir sons inarticulados "tais como um animal ferido". Inquieta, ela chamou por ele e o sr. Haggard percebeu a voz como em um sonho, mas não conseguiu livrar-se do pesadelo que o oprimia. Quando despertou completamente, contou à esposa que havia sonhado com Bob, o velho cão perdigueiro de sua filha primogênita e que ele o vira se debater numa luta terrível, como se fosse morrer.

O sonho tivera duas partes distintas. A respeito da primeira, o romancista lembra-se apenas de ter experimentado uma sensação de opressão, como se estivesse a ponto de afogar-se. Entre o instante em que ouvia a voz de sua esposa e aquele em que despertou, o sonho tomou uma forma mais precisa. "Eu via", conta o sr. Haggard, "o velho Bob estendido entre os caniços de uma lagoa. Parecia-me que a minha própria personalidade saía misteriosamente do corpo do cão, que comprimia a sua cabeça contra o meu rosto de uma maneira bizarra. Bob

13

procurava como que me falar e, não se fazendo compreender pelo som, me transmitia, de outro modo indefinível, a ideia de que estava prestes a morrer".

O sr. e a sra. Haggard tornaram a dormir e o romancista não foi mais perturbado no seu sono. Na manhã seguinte, no desjejum, ele contou às filhas o que havia sonhado e riu com elas do medo que a mãe tivera. Atribuía o seu pesadelo à má digestão. Quanto ao cão Bob, ninguém se preocupou com ele, pois que, na tarde anterior, tinha sido visto com outros cães da vila e fizera os seus agrados à sua dona, como de costume. Quando a hora da refeição cotidiana passou sem que Bob aparecesse, a srta. Haggard começou a experimentar alguma preocupação e o romancista a supor que se tratasse de um sonho verídico. Então fizeram-se buscas ativas que duraram quatro dias, no fim das quais o próprio sr. Haggard achou o pobre animal flutuando na água de uma lagoa, a dois quilômetros da vila, com o crânio fraturado e duas patas quebradas.

Um primeiro exame, feito pelo veterinário, fez supor que o infeliz animal tivesse sido apanhado em uma armadilha, mas se encontraram em seguida provas indiscutíveis de que o cão tinha sido apanhado por um trem na ponte que atravessava a lagoa e que fora lançado, pelo choque, entre plantas aquáticas.

Na manhã de dezenove de julho, um cantoneiro da estrada de ferro achara na ponte a coleira ensanguentada de Bob. Agora não restava dúvida alguma de que o animal morrera na noite do sonho. Por acaso, naquela noite, tinha passado pela ponte, um pouco antes da meia-noite, um trem extraordinário de recreio que devia ter sido a causa do acidente.

Todas as circunstâncias são provadas pelo romancista por meio de uma série de documentos.

Segundo o veterinário, a morte devia ter sido quase instantânea; ela teria então precedido de duas horas, ou mais, o sonho do sr. Haggard.

Tal é, em resumo, o caso acontecido com o escritor inglês no qual se encontram várias circunstâncias de fatos que concorrem para excluir, de modo categórico, qualquer outra explicação que não seja a de transmissão telepática direta entre o animal e o homem.

Não se podia tratar, com efeito, de um impulso telepático proveniente da inteligência de uma pessoa presente, pois que ninguém assistira ao drama nem fora informado dele, assim como se verifica pelo inquérito feito pelo próprio sr. Haggard, como, aliás, é fácil de presumir, levando-se em conta a hora avançada da noite na qual ele se passou.

Não se podia tratar de uma forma comum de pesadelo alucinatório, com coincidência fortuita, pois que as circunstâncias verídicas que se encontram na visão são verdadeiramente bem numerosas, sem falar do fato em si da coincidência entre o sonho e a morte do animal.

Não se podia tratar de um caso de telestesia graças ao qual o espírito do romancista teria visto, de longe, o desenrolar do drama, pois que, então, o percipiente seria um espectador passivo, quando não foi assim. Como se pôde ver, ele foi submetido a um fenômeno muito notável de personificação ou de um começo de possessão.

Esse fenômeno, tal como observou o editor do *Journal of the Society for Psychical Research*, oferece um paralelo interessante com as 'personificações' e as 'dramatizações' observadas tão frequentemente nos sensitivos ou médiuns no estado de transe.

Não se poderia, finalmente, falar em sonho premonitório, pois o sr. Haggard nada sabia sobre o acontecido, do que só soube mais tarde quando o cadáver do cão Bob foi achado, boiando, na lagoa, isto, quatro dias depois do estranho sonho. Com efeito, com essa solução, não se chegaria a nenhuma explicação: nem o fato da coincidência verídica entre o sonho e o acontecimento, nem o fenômeno da dramatização igualmente verídica do caso, nem o caso, tão notável, de personificação ou possessão.

Eis as principais considerações que concorrem para provar, de modo incontestável, a realidade do fenômeno de transmissão telepática direta entre o homem e o animal. Achei dever enumerá-los para responder quaisquer objeções que chegaram de diferentes setores, depois que a *Society for Psychical Research* acolheu e comentou o caso em questão. Ao mesmo tempo, as mesmas considerações poderão servir de regra aos leitores para julgar sobre o valor da hipótese telepática relativamente aos casos que se seguirão.

Caso II – (Em sonho) – 10 de fevereiro de 1885.

> Na primeira segunda-feira do mês de agosto de 1883 (folga do comércio), achava-me em Ilfracombe. Pelas dez horas da noite, fui deitar-me e adormeci logo. Acordei às dez e meia quando a minha esposa entrou no quarto. Contei-lhe que acabara de ter um sonho em que vira o meu cão Fox estendido, ferido e moribundo, ao pé de um muro. Não tinha uma ideia exata com relação à localidade, todavia observara que se tratava de um dos 'muros secos' que são uma particularidade

do condado de Gloucester. Deduzi daí que o animal caíra do alto de um desses muros, tanto mais que ele tinha o hábito de pular por cima deles. No dia seguinte, terça-feira, recebi em nossa casa (Barton End Grange, Nailsworth) uma carta de nossa governanta que me avisava de que Fox não aparecia há dois dias. Respondi imediatamente, ordenando-lhe que mandasse dar as mais minuciosas buscas possíveis. No domingo, recebi uma carta que me escrevera na véspera e na qual ela me informava que o cão fora atacado e morto por dois buldogues, na noite da segunda-feira precedente.

Voltei para a minha casa quinze dias após e comecei logo um rigoroso interrogatório do qual resultou que, na segunda-feira em questão, pelas cinco horas da tarde, uma senhora vira dois buldogues atacarem e estraçalharem ferozmente o meu cão. Uma outra senhora, que morava não longe de lá, contou que, pelas nove horas da noite, descobrira meu cão morrendo perto de um muro que ela me indicou e que eu via pela primeira vez. Na manhã seguinte, o cão havia desaparecido. Soube a seguir que o dono dos buldogues, sabendo do que acontecera e temendo as consequências, tivera o cuidado de mandar enterrá-lo pelas dez e meia da mesma noite, hora do acontecimento que coincidia com a do meu sonho.

E. W. Phibbs

O caso que acabo de narrar foi citado várias vezes pelo prof. Charles Richet no seu *Tratado de metapsíquica* com o fim de demonstrar que ele podia ser explicado pela criptestesia, sem que fosse preciso supor um fenômeno de telepatia em que o animal tivesse desempenhado o papel de agente e o seu dono o de percipiente. Richet observa a respeito: "É muito mais razoável supor que 'a noção do fato' é que atingiu o seu espírito em lugar de admitir que a alma de Fox foi abalar o cérebro do sr. Phibbs." (p. 330)

Pela expressão "a noção do fato", o sr. Richet se reporta à sua hipótese de criptestesia segundo a qual as coisas existentes, assim como o desenrolar de toda ação no mundo animado ou inanimado, emitiram vibrações *sui generis*, perceptíveis para os sensitivos, que, dessa maneira, estariam teoricamente em estado de conhecer tudo o que se produziu, se produz e se produzirá no mundo inteiro.

Respondi a essa hipótese em um longo artigo publicado na *Revue Spirite* (1922, p. 256), onde constatei essa onisciência, suposta, das faculdades subconscientes, demonstrando, pelo exame dos fatos, que as faculdades em questão eram, ao contrário, condicionadas e, portanto, limitadas, pela necessidade absoluta da 'relação psíquica', isto é, que, se não existisse anteriormente algum laço afetivo, ou, em casos mais raros, relações de simples conhecimento entre o agente e o percipiente, as manifestações telepáticas não podiam verificar--se. Em seguida, reportando-me ao caso acima, continuava assim dizendo:

> Se se exclui que o pensamento do cão, voltado com uma ansiedade intensiva para o seu protetor ausente, tenha sido o agente que determinou o fenômeno telepático, ou, em outros termos, se se exclui que a coisa tenha podido verificar-se graças à existência de uma 'relação afetiva' entre o cão e o seu dono, então não se pode deixar de perguntar: por que o sr. Phibbs viu, justamente naquela noite, seu cão agonizando e não viu todos os outros animais que, durante a mesma noite, agonizavam certamente um pouco por todas as partes? É impossível responder esta pergunta de outra forma senão a de reconhecer que o sr. Phibbs não viu tal coisa porque nenhuma relação psíquica, de qualquer sorte que seja, existia entre ele e os outros animais: ele viu, ao contrário, a agonia do seu cão porque laços afetivos existiam entre ele e o animal e porque, naquele momento, o animal agonizante voltava intensamente o seu pensamento para o seu protetor ausente, circunstância que não tem nada de inverossímil e que, ao contrário, demonstra que o pobre animal moribundo desejava urgente socorro.

Parece-me que o bom fundamento destas conclusões permanece incontestável. De todo modo, os nossos leitores acharão na presente classificação numerosos exemplos de diferentes espécies, que confirmam amplamente a minha maneira de ver, ao passo que contradizem a hipótese de uma criptestesia onisciente.

Caso III – (Em sonho) – Tiro o seguinte caso do livro do sr. Camille Flammarion intitulado *L'inconnu et les problèmes psychiques* (*O desconhecido e os problemas psíquicos*), p. 413.

> Posso citar-lhe ainda um fato pessoal que me perturbou bastante quando aconteceu, mas, como desta vez se trata de um cão, talvez eu esteja errado em tomar o seu tempo. Peço-lhe que me desculpe em me perguntando onde param os problemas.
> Era então moça e possuía muitas vezes, em sonho, uma lucidez surpreendente. Tínhamos uma cadela de uma inteligência pouco comum. Era particularmente afeiçoada a mim, pois a acariciava muito. Certa noite sonho que ela morre e que me olha com olhos humanos. Ao acor-

dar, disse à minha irmã: "Lionne morreu, via-a em sonho, é verdade."
Minha irmã riu e não acreditou em mim. Chamamos a governanta e lhe dissemos que chamasse a cachorrinha, que não apareceu. Procurada em todas as partes possíveis, apareceu, finalmente, morta em um canto. Ora, na véspera ela não estava doente e o meu sonho não podia ter sido provocado por nada.

R. LACASSAGNE, Dutant em solteira (Castres)

Também neste caso, a hipótese mais verossímil é a de que o animal agonizante voltou ansiosamente seu pensamento para a dona, determinando assim a impressão telepática, percebida por ela em sonho; todavia esse episódio é bem menos probante que o anterior, tanto mais que, desta vez, não se acha em presença de detalhes de modo a eliminar a outra hipótese, a de um possível fenômeno de clarividência, em sonho.

Caso IV – (Impressão) – Eu o extraio da *Light* (1921, p. 187). O seu narrador é o sr. F. W. Percival, que escreve:

O sr. Everard Calthorp, grande tratador de cavalos puro-sangue, no seu último livro intitulado *The horse as comrade and friend* (*O cavalo como companheiro e amigo*), conta que ele possuía já há alguns anos uma magnífica égua chamada Windermere à qual era profundamente ligado e que era retribuído com um transporte afetivo de modo a conferir ao caso aqui apresentado um caráter realmente emocionante. Quis a infelicidade que a égua se afogasse numa lagoa perto da herdade do sr. Calthorp, que expõe assim as impressões experimentadas no trágico momento:

"Às três e vinte da manhã de 18 de março de 1913, despertei, de sobressalto, de profundo sono, não por causa de algum ruído ou algum latido, mas por um pedido de ajuda que me transmitia – não sei como – a minha égua Windermere. Apurei os ouvidos e não percebi o menor ruído naquela noite calma, mas, assim que despertei completamente, senti vibrar, no meu cérebro e nos meus nervos, o apelo desesperado de minha égua. Compreendi deste modo que ela se encontrava em perigo extremo e que invocava auxílio imediato meu. Vesti o sobretudo, calcei as botas, abri a porta e pus-me a correr pelo parque. Não ouvia latidos nem gemidos, porém sabia, de um modo incompreensível e prodigioso, de qual lado vinha essa espécie de 'telegrafia sem fio'. Retiniam sempre mais fracamente no meu cérebro e, quando cheguei à margem da lagoa, haviam cessado. Buscando na água da lagoa, percebi que ela estava ainda enrugada por pequenas ondas concêntricas que atingiam a margem e, no meio dela, percebi uma massa preta que se precisava sinistramente na primeira claridade da alvorada. Compreendi logo que se tratava do corpo de minha pobre Windermere e que, infelizmente, eu respondera muito tarde ao seu apelo, pois ela estava morta."

O sr. F. W. Percival, reproduzindo esta narração na revista *Light* (1921, p. 187), observa:

> Sem dúvida, nos casos iguais a este, falta-nos o testemunho do agente, mas isto não impede que as três regras de Myers, destinadas a distinguir os fatos telepáticos daqueles que não o são, sejam todas da mesma maneira aplicáveis ao caso de que nos ocupamos. As ditas três regras são as seguintes: 1ª – que o agente seja encontrado numa situação excepcional (aqui o agente lutava contra a morte); 2ª – que o percipiente tenha experimentado algo de psiquicamente excepcional, inclusive uma impressão de natureza a fazer conhecer o agente (aqui a impressão que revela o agente é manifesta); e 3ª – que os dois incidentes coincidam no ponto de vista do tempo (esta condição é igualmente satisfeita).

Poder-se-ia acrescentar que o fato do impulso telepático foi bastante preciso e enérgico para despertar o percipiente de um sono profundo e fazer-lhe perceber imediatamente que se tratava de um pedido de socorro da parte de sua égua e orientar os seus passos, sem nenhuma hesitação, para o teatro do drama. Não parece então que se possa pôr em dúvida a origem realmente telepática do acontecimento.

Caso V – Tirei-o do *Journal of the Society for Psychical Research*, vol. XII, p. 21. *Lady* Carbery, esposa de *lord* Carbery, envia do castelo de Freke, condado de Cork, a seguinte narrativa datada de 23 de julho de 1904:

> Durante uma quente tarde de domingo do verão de 1900, fui, depois do almoço, fazer a minha costumeira visita às estrebarias a fim de distribuir açúcar e cenouras aos cavalos, entre os quais se achava uma égua assustadiça e nervosa chamada Kitty e de que eu gostava muito. Uma grande simpatia existia entre ela e mim, que a montava todas as manhãs, antes do almoço. Eram excursões tranquilas e solitárias ao longo de colinas penden-

do para o mar e sempre me pareceu que Kitty gostava, como a sua dona, desses passeios na frescura matinal. Na tarde de que se trata, saindo das estrebarias, segui sozinha pelo parque, percorrendo um quarto de milha e me sentando em seguida à sombra de uma árvore, com um livro muito interessante, pois era minha intenção permanecer ali umas duas horas. Depois de uns vinte minutos, um súbito influxo de sensações penosas veio se interpor entre mim e a minha leitura, ao mesmo tempo que experimentava a certeza de que algo de penoso tinha acontecido à minha égua Kitty. Busquei afastar tal impressão, continuando a leitura, mas a impressão aumentou de tal forma que fui obrigada a fechar o livro e a me dirigir para as estrebarias. Uma vez lá chegada, fui logo para o boxe de Kitty e encontrei-a estendida no chão, sofrendo e necessitando de uma assistência imediata. Fui imediatamente buscar os rapazes da estrebaria, que se achavam numa outra seção, afastada do imóvel, os quais acorreram, a fim de prestar ao animal os cuidados necessários. A surpresa deles foi grande ao ver-me aparecer na estrebaria pela segunda vez, circunstância inteiramente insólita.

Lady Carbery

O cocheiro que cuidou da égua, naquela ocasião, assim confirma a supracitada narração:

Era então cocheiro do castelo de Freke e sua senhoria veio, durante a tarde, distribuir, segundo o seu costume, açúcar e cenouras aos cavalos. A égua Kitty achava-se solta no seu boxe e em excelentes condições de saúde. Logo depois, voltei para o meu alojamento, em cima das estrebarias, e os empregados dela foram para os seus quartos. Depois de meia hora ou quarenta e cinco minutos, fiquei surpreso ao ver voltar sua senhoria que acorria para me chamar, assim como aos rapazes, a fim de que fôssemos socorrer Kitty que se achava estendida no chão, vítima de um mal súbito. Entrementes, nenhum de nós havia entrado nas estrebarias.

Edward Nobbs

Este segundo caso é menos sensacional que o primeiro: a impressão telepática experimentada por *lady* Carbery foi também menos precisa, entretanto ela foi bastante forte para dar à percipiente a convicção de que as sensações que ela sentia indicavam que a égua Kitty tinha necessidade de urgente assistência e para fazê-la decidir-se a correr imediatamente para o local. Ora, essas circunstâncias de ordem excepcional e de uma significação precisa e sugestiva são suficientes para autorizar a concluir em favor do caráter telepático do presente caso.

Caso VI – (Impressão) – Este caso apareceu na *Light* (1915, p. 168). O sr. Moldred Duke, conhecido sensitivo e autor de artigos bem profundos sobre assuntos metapsíquicos, relata o seguinte fato que lhe aconteceu:

> Há alguns dias, fui levado a escrever até uma hora avançada e estava absorvido pelo assunto de que tratava quando fui literalmente invadido pela ideia de que a minha gata tinha necessidade de mim. Levantei-me e fui procurá-la. Depois de ter feito, inutilmente, a volta pela casa, passei para o jardim e, como a escuridão me impedia de ver, passei a chamá-la. Percebi um fraco miado à distância e, cada vez que eu repetia o meu chamado, o miado me respondia, mas a gata não apareceu. Voltei para casa, a fim de apanhar uma lanterna, e atravessei em seguida o quintal, dirigindo-me para um local de onde me pareciam vir os miados. Depois de algumas buscas, achei a minha gata numa cerca, presa por um laço estendido para coelhos, com os nós lhe apertando o pescoço. Se ela tivesse se esforçado para se livrar dele, teria se estrangulado. Felizmente teve a inteligência de não se mexer e de enviar, ao contrário, ao seu dono, uma mensagem de pedido de socorro, pelo 'telégrafo sem fio'.
>
> Trata-se de uma gata a que sou muito afeiçoado e esta não foi a primeira vez que uma relação telepática se fez entre ela e mim.
>
> Há alguns dias, nós a supúnhamos extraviada, pois não a encontrávamos em lugar algum, em vão chamando-a em todas as partes. De repente, por uma espécie de fotografia mental, eu a vi prisioneira numa peça vazia nos entulhos da casa, peça que ficava quase sempre fechada. A visão era verídica. A gata, não se sabe como, tinha se fechado lá. Não tinha ela, porém, enviado, ainda desta vez, uma mensagem telepática para me avisar de sua prisão?

Para este caso, nada mais é preciso dizer, pois não é possível duvidar da gênese telepática das duas impressões sensoriais recebidas pelo autor da narração.

Caso VII – (Impressões) – Tiro-o do *Journal of the Society for Psychical Research* (vol. XI, p. 323). O sr. J. F. Young comunica o seguinte caso que lhe é pessoal:

Possuo um cão *fox-terrier* de cinco anos de idade, pelo qual tenho muita afeição. Sempre gostei dos animais e, sobretudo, dos cães. O cão de que falo me dispensa tal afeição que não posso ir a qualquer parte e mesmo sair do meu quarto sem que ele me siga sempre. É um terrível caçador de ratos e, como a despensa é às vezes frequentada por tais roedores, coloquei lá uma caminha para o Fido. No mesmo lugar, havia um fogão de cozinha onde havia sido introduzido um forno para fazer pães, assim como uma caldeira para a limpeza, munida de um tubo que terminava na chaminé. Não deixava nunca, à noite, de levar o cão para o seu leito, antes de me deitar.

Já havia trocado de roupa e ia deitar-me quando fui de repente assaltado pela sensação inexplicável de um perigo iminente. Não podia pensar em outra coisa senão em fogo e a impressão era tão forte que acabei por ser dominado por ela. Vesti-me novamente, desci e passei a inspecionar o apartamento peça por peça para certificar-me de que tudo estava em ordem. Chegando à despensa, não vi Fido, supondo que ele pudera sair de lá para subir para o andar de cima, porém em vão chamei por ele. Fui na casa de minha cunhada para pedir-lhe notícias, mas ela não sabia de nada. Comecei a sentir-me inquieto. Voltei logo para a despensa e chamei várias vezes pelo cachorro, inutilmente. Não sabia mais para que lado ir, quando, repentinamente, me passou pela cabeça que, se havia alguma coisa que pudesse fazer o animal responder, era a frase: "Vamos passear, Fido?", convite que o punha logo contente. Pronunciei então esta frase e um gemido sufocado, como enfraquecido pela distância, chegou-me aos ouvidos. Renovei o convite e ouvi distintamente o lamento de um cão em aflição. Tive tempo de certificar-me de que o lamento vinha do interior do cano que fazia comunicar a caldeira com a chaminé. Eu não sabia como agir para retirar o cão de lá: os minutos eram preciosos e a sua vida estava em perigo. Muni-me de um martelo e comecei a derrubar a parede no local exato. Consegui, finalmente, com bastante dificuldade, retirar Fido de lá, meio sufocado, sacudido por esforços de vômitos, a língua e o corpo inteiro negros de fuligem. Se eu tivesse me demorado por mais alguns momentos, meu cãozinho querido estaria morto e, como não se serve senão muito raramente da caldeira, eu não teria provavelmente nunca sabido para qual fim fora feita. Minha cunhada acorreu com o barulho e ambos descobrimos um ninho de ratos localizado no fogão, ao lado do cano. Fido, evidentemente, teria perseguido um rato até o interior dele, de tal maneira que ficara preso sem poder voltar e sair dele.

Tudo isto se passou já há alguns meses e foi então publicado na imprensa local, mas eu não teria nunca pensado em comunicar este fato a essa Sociedade se não tivesse acontecido, entrementes, o caso de *sir* Rider Haggard.

J. F. Young
New Road, Llanella, 13 de novembro de 1904.

A sra. E. Bennett, cunhada do signatário, confirma a narração do seu parente.

Para outros informes sobre este episódio, envio o leitor ao *Journal of the Society for Psychical Research*, vol. XI, p. 323.

Este quarto caso de telepatia por 'impressão' difere sensivelmente dos que o precederam e nos quais o traço característico essencial do impulso telepático consistiu na percepção exata de um apelo emanado de um animal em perigo e da localização intuitiva do lugar em que ele se achava. Aqui, ao contrário, a impressão que teve o percipiente lhe sugere a ideia de um perigo iminente em relação com fogo, todavia a impressão é bastante forte para o levar a se vestir apressadamente e ir inspecionar a casa, de modo que, chegando à cozinha e se apercebendo da ausência do cão, o chama, o procura e o salva.

Resulta daí que, neste caso, a mensagem telepática se verifica de modo imperfeito, adquirindo uma forma simbólica, o que não acrescenta nada ao seu valor intrínseco, pois que esta circunstância não constitui, de modo algum, uma dificuldade teórica. Sabe-se, com efeito, que as manifestações telepáticas, na sua passagem do subconsciente ao consciente, seguem o 'canal de menor resistência', determinado pelas idiossincrasias especiais do percipiente. Elas consistem, sobretudo, no 'tipo sensorial' ao qual pertence o percipiente (visual, auditivo, motor etc.), em seguida, nas condições do meio nas quais ele vive (hábitos, repetição dos mesmos incidentes durante a vida cotidiana). Segue-se daí que, quando o impulso telepático não chega a se realizar na forma mais direta, ele se transforma em uma modalidade de percepção indireta ou 'simbólica', que traduz, com maior ou menor fidelidade, o pensamento do agente em questão. Isto exposto, dever-se-ia dizer que, no caso que examinamos, o apelo ansioso do cão em perigo conseguiu impressionar a subconsciência do percipiente, mas, para atingir a sua consciência, tinha de perder uma grande parte da sua nitidez, transformando-se em uma vaga impressão de perigo imediato com alguma relação com 'fogo', o que correspondia ainda à realidade, já que o animal estava efetivamente aprisionado e em perigo de morte por asfixia no cano do forno.

Caso VIII – (Auditivo) – O dr. Emile Magnin comunica aos *Annales de Sciences Psychiques* (1912, p. 347) o seguinte caso:

> Acabo de ler, com muito interesse, a narração do caso do cão Bobby, publicado nos *Annales*. Um caso mais ou menos semelhante me foi contado, há alguns anos, pelo sr. P. M., advogado de grande talento. Eu lhe dou um breve resumo dessa narrativa, certo de que, por sua analogia com o caso Bobby, interessará aos seus leitores.
> O sr. P. M., advogado na Corte de Apelação, possuía uma cadela espanhola chamada Creole, que ele costumava conservar perto de si em Paris e que dormia no corredor, detrás da porta do seu quarto de dormir. Cada manhã, ao primeiro movimento do seu dono, ela arranhava a porta e gemia até que a porta lhe fosse aberta.
> Durante um período de caça, o sr. P. M. deixou a cadela Creole em Ramboullet, aos cuidados do seu guarda-caça.
> Pela manhã de um sábado, cedo, o sr. P. M. ouviu arranhar e gemer na porta do seu quarto e, muito surpreso por ouvir a sua cadela ali, levantou-se imediatamente, convencido de que o seu guarda-caça fora a Paris para lhe comunicar algo de urgente. Grande foi o seu espanto por não ver o guarda nem o animal. Dez horas depois chegava um telegrama do guarda comunicando que Creole fora acidentalmente morta por um caçador.

Também este episódio, no qual a alucinação verídica foi de natureza auditiva, não parece possível duvidar-se da origem realmente telepática da manifestação, e, no que diz respeito às condições nas quais o episódio se verificou, útil é observar que elas demonstram que o impulso telepático foi, ainda uma vez, de natureza indireta ou simbólica. Reportando-nos às considerações que temos desenvolvido a este respeito, diremos aqui que, como a cadela morta tinha, quando viva, o costume de arranhar a porta do quarto do seu dono e até de gemer, enquanto ela não fosse aberta, resulta daí que o impulso telepático não chegou a se verificar de modo direto e se concretizou de modo indireto e simbólico, com modalidades de realização que eram as mais familiares ao percipiente e em relação com o pensamento do agente. Observo aqui que a circunstância de uma lei fundamental das manifestações telepáticas, realizando-se rigorosamente, mesmo quando se trata de um agente animal, oferece grande valor teórico, pois é difícil não se deduzir daí que, se as manifestações telepáticas animais se equiparam às mesmas leis que as manifestações telepáticas humanas, resulta a identidade da natureza do elemento espiritual em ação, em ambas circunstâncias.

Caso IX – (Auditivo-coletivo) – Destaco no quarto volume, páginas 289/90, do *Journal of the Society for Psychical Research*, o seguinte caso narrado pela sra. Beauchamp, de Hunt Lodg, Twiford, numa carta dirigida à sra. Wood, de Colchester, narração da qual extraímos o trecho a seguir:

> Megatherium é o nome de meu cãozinho hindu que dorme no quarto de minha filha. Na noite passada, acordei subitamente ao ouvi-lo saltitar no quarto. Eu conhecia bem a sua maneira de saltitar, muito característica. Meu marido, por sua vez, não tardou a despertar. Interroguei-o, dizendo-lhe: "Você ouve isto?" e ele me respondeu: "É Meg". Acendemos logo uma vela, procuramos por todas as partes, mas não pudemos achá-lo no quarto porque a porta dele estava bem fechada. Então ocorreu-me a ideia de que alguma desgraça sucedera a Meg. Tinha o pressentimento de que ele havia morrido naquele momento mesmo. Consultei o relógio para precisar a hora e pensei que devia descer e ir imediatamente assegurar-me de minha intuição, embora isto me parecesse um absurdo, e, depois, fazia tanto frio... Fiquei indecisa um instante e o sono voltou.
>
> Pouco tempo devia ter-se escoado quando alguém veio bater à porta. Era a minha filha que, com uma expressão de grande ansiedade, exclamou: "Mamãe, mamãe, Meg está morrendo." Descemos a escada de um salto e achamos Meg virado de lado, com as pernas esticadas e rígidas, como se já estivesse morto. Meu marido levantou-o do chão e se certificou de que o cão ainda estava vivo, mas ele não chegou a verificar o que tinha sucedido. Verificou-se finalmente que Meg, não se sabe como, tinha enrolado a correia de sua pequena veste em torno do pescoço de tal modo que quase se estrangulou. Nós o libertamos imediatamente e, logo que o animal pôde respirar, se reanimou e se restabeleceu.
>
> De agora em diante, se me acontecer experimentar sensações precisas desta natureza a respeito de alguém, proponho-me acudir sem demora. Juro ter ouvido o saltitar tão característico de Meg perto da cama e meu marido pode afirmar a mesma coisa.

Para maiores detalhes sobre este caso, envio o leitor ao citado número do *Journal*.

Ainda neste caso, cuja gênese claramente telepática parece fora de qualquer dúvida (tanto mais que, desta vez, as pessoas que receberam as impressões auditivas foram duas), neste caso ainda, digo eu, a manifestação telepática se realiza sob uma forma simbólica, isto é, um apelo urgente de socorro, partido da mente do cãozinho agente, chega até o percipiente transformado em um eco característico do saltitar que o animal fazia cada manhã junto ao leito dos seus donos.

Ora, é incontestável que uma percepção telepática desta categoria, dadas as circunstâncias nas quais ela se produziu, não poderia constituir a expressão exata do pensamento do agente, mas somente uma tradução simbólico-verídica do pensamento do mesmo. Com efeito, é lógico e natural pensar que um animal a ponto de morrer estrangulado, tenha voltado intensivamente seu pensamento para aqueles que eram os únicos que podiam salvá-lo, não sendo, ao contrário, admissível, de modo algum, que o animal, naquele momento supremo, tenha pensado, ao contrário, nos pulinhos que ele tinha o costume de dar todas as manhãs junto ao leito dos seus donos.

Caso X – (Auditivo, com coincidência de percepção luminosa) – Tiro o seguinte caso do volume VIII, página 45, dos *Annales des Sciences Psychiques*, que o reproduziram da revista italiana *Il Vessillo Spiritista*:

> A srta. Lubow-Krijanowsky, filha do general do mesmo sobrenome e irmã da srta. Wera Krijanowsky (atualmente sra. Semenoff), contou-nos o seguinte caso que lhe aconteceu e que se refere à debatida questão da alma dos animais.
>
> Trata-se de uma cadelinha que era predileta de nós todos, sobretudo de Wera, e um pouco por causa desta afeição e agrados exagerados, o animal caiu doente. Sofria de sufocações e tossia, mas o médico veterinário que tratava dela esperava que a enfermidade não fosse perigosa. Entretanto, Wera se preocupava muito e se levantava durante a noite para lhe fazer fricções e lhe dar o seu remédio, embora ninguém pensasse que ela fosse morrer.
>
> Certa noite, o estado de Bonika (este era o nome da cadelinha) piorou de repente. Nós ficamos preocupados, sobretudo Wera, e então

resolvemos que, logo pela manhã, a levaríamos ao veterinário, porque, se assim não fosse, ele só viria à noite.

Então, pela manhã, Wera e a nossa mãe partiram com o animalzinho doente, enquanto eu ficava e me punha a escrever. Achava-me tão absorvida que me esqueci da partida delas, quando, de repente, ouvi-a tossir no quarto vizinho. Era lá que se achava a sua caminha e, depois que ficara doente, mal começava a tossir ou a gemer que algum de nós ia ver do que estava precisando, dando-lhe de beber o remédio ou ajustando um curativo que tinha no pescoço.

Levada pelo costume, levantei-me e aproximei-me da caminha. Vendo-a vazia, lembrei-me de que mamãe e Wera haviam partido com Bonika e fiquei perplexa, porque a tosse tinha sido tão forte e tão distinta que era preciso afastar qualquer ideia de engano.

Estava ainda pensativa, diante da caminha vazia, quando, perto de mim, fez-se ouvir um desses gemidos com que Bonika nos saudava quando regressávamos, depois, um segundo que parecia provir do quarto vizinho, enfim, um terceiro lamento que parecia perder-se ao longe.

Confesso que fiquei sobressaltada e possuída por um tremor penoso, depois me veio a ideia de que o animal morrera. Olhei para o relógio, que marcava cinco minutos para o meio-dia.

Inquieta e agitada, fui para a janela e aguardei os meus com impaciência. Vendo Wera voltar sozinha, corri ao seu encontro e lhe disse à queima-roupa: "Bonika morreu." "Como é que você sabe disto?", perguntou-me ela, espantada. Antes de responder-me, perguntei-lhe se sabia a hora precisa em que o animal havia expirado. "Alguns minutos antes do meio-dia", foi a resposta, e ela me narrou o que se segue:

"Quando elas chegaram à casa do veterinário lá pelas onze horas, esse já havia saído, mas a empregada pediu-lhes insistentemente que o esperassem, visto que, lá pelo meio-dia, o seu patrão deveria voltar, como era de costume. Então ficaram, mas, como o animalzinho se mostrasse sempre mais agitado, Wera o punha ora no divã, ora no assoalho, e consultava o relógico com impaciência. Afinal, com grande alegria, viu que faltavam poucos minutos para o meio-dia, quando ela voltou a ter sufocação. Wera quis colocá-la no divã, mas, na ocasião em que a levantava do chão, viu, de repente, que tanto o animalzinho como as suas mãos ficaram inundadas por uma luz púrpura tão intensa e tão viva que ela, não compreendendo nada do que estava acontecendo, gritou: fogo! Mamãe não viu nada, porém, como estivesse de costas para a lareira, pensou que a sua roupa tivesse pegado fogo e se virou, espantada, mas logo depois viu que Bonika acabava de morrer, o que fez com que mamãe não censurasse Wera pelo seu intempestivo grito e pelo medo que lha havia causado."

Faço observar que este fato se reveste, por sua vez, de certo caráter simbólico. Nada de mais frequente, com efeito, que esses casos de transformação mais ou menos aberrante dos impulsos telepáticos combinem com as idiossincrasias especiais dos percipientes. Todavia, quando os episódios desta natureza se realizam entre criaturas humanas, cujo agente é um morto, é permitido supor que eles possam acontecer algumas vezes pela vontade do agente, que se conformariam assim com as idiossincrasias do percipiente e que, quaisquer que fossem as modalidades pelas quais esses episódios se manifestassem, dependeriam sempre do fato de que um impulso telepático deve seguir necessariamente 'a via de menor resistência' para chegar à consciência do percipiente.

Nas coleções desses casos publicados pela *Society for Psychical Research*, acha-se um episódio no qual uma entidade espiritual se manifesta, simultaneamente, de três maneiras diferentes, a três pessoas, das quais uma só percebe o espírito dela, outra ouve-lhe a voz que pronuncia uma frase de saudação, ao passo que a terceira sente um suave perfume de violetas, coincidindo com a circunstância de que o cadáver da entidade, no seu leito de morte, fora literalmente coberto de violetas. Ora, em tais circunstâncias, seria racional supor que a entidade que se manifestava tenha agido com o propósito deliberado, em manifestações diversas, tudo de conformidade com as idiossincrasias pessoais dos percipientes, isto é, que ela se tenha manifestado sob uma forma objetiva à pessoa do 'tipo visual', que tenha transmitido uma frase de saudação à pessoa de 'tipo auditivo' e que tenha, enfim, engendrado uma sensação olfativa na pessoa cuja "via de menor resistência" era constituída pelo sentido do olfato. O incidente que torna plausível esta variante explicativa se acha constituído pela frase de saudação que percebe a pessoa do 'tipo auditivo', frase que pode dificilmente ter sido criada na passagem da subconsciência à consciência de um único impulso telepático, ao passo que tudo se explicaria facilmente supondo-se que a frase em questão tenha sido pensada e transmitida pela entidade comunicante.

Voltando ao caso relatado mais acima, observo nele uma circunstância que de fato complica a sua interpretação teórica: é que Bonika morreu nos braços de sua dona. Isto leva a pensar que não deveria haver, no animal doente, motivos emocionais que pudessem fazer com que voltasse o seu pensamento para outra pessoa da família que ficara na casa, determinando assim um impulso telepático. Nestas condições, dever-se-ia concluir daí que, muito provavelmente, se produz nos animais o que acontece muitas vezes nas criaturas humanas, isto é, que o enfermo determina, ao morrer, manifestações telepáticas pelo único fato de dirigir um pensamento de tristeza para o meio afastado no qual viveu longa e felizmente. Observo, todavia, que, no caso de criaturas humanas, haveria uma outra explicação que seria de natureza, não telepática, mas espírita, isto é, que, em circunstâncias especiais, o espírito do morto, logo que livre dos laços corporais, voltaria ao meio no qual viveu, esforçando-se por fazer conhecer a sua presença aos seus familiares.

Quanto ao fenômeno luminoso percebido pela moça que tinha Bonika nos braços, no momento da morte, ele não se acha no meio das manifestações que acabamos de examinar, embora, de um outro ponto de vista, não deixe de ser interessante e sugestivo, já que fenômenos análogos se realizam muitas vezes no leito de morte de criaturas humanas.

Caso XI – (Visual) – Colho o seguinte fato em um interessante artigo da sra. Elisabeth d'Espérance, publicado pela *Light* no seu número de 22 de outubro de 1904, página 511:

> Uma única vez aconteceu-me algo de semelhante numa prova 'pessoal' da presença, em espírito, de um animal que eu conhecera muito bem em vida. Tratava-se de um *fox-terrier*, grande favorito de minha família que, em consequência da partida do seu dono, o tinha dado a um dos seus admiradores que morava a uma centena de milhas de nossa casa.
> Um ano depois, quando eu entrava, certa manhã, na sala de jantar, vi, com grande espanto meu, a pequena Morna que corria pulando em volta do quarto e parecia estar presa de enorme alegria. Pulava, pulava sempre, ora se metendo debaixo da mesa, ora se introduzindo debaixo das cadeiras, assim como tinha o costume de fazer nos seus momentos de excitação e alegria, depois de uma ausência mais ou menos longa da casa. Concluí daí, naturalmente, que o novo dono de Morna a havia levado à nossa casa ou que, pelo menos, a cadelinha conseguira sozinha achar o caminho de sua antiga casa. Interroguei a esse respeito vários membros de nossa família, mas ninguém sabia de nada, de forma que

achei dever procurá-la por todas as partes e mesmo chamar pelo seu nome, mas Morna não apareceu. Foi-me dito então que eu devia ter sonhado ou sido vítima de alguma alucinação, depois do que o incidente foi esquecido.

Vários meses, um ano talvez, se passaram antes que acontecesse encontrar-nos com o novo dono de Morna, ao qual pedimos notícias dela. Contou-nos ele que Morna havia morrido em consequência de feridas recebidas durante uma luta com um canzarrão. Ora, pelo que pude verificar, a luta deu-se na mesma data ou bem pouco tempo antes do dia em que eu a vira (em espírito) correr, pular, girar em torno da sala de sua antiga morada.

Esta narrativa relembra a última consideração que fiz a respeito do exemplo anterior, isto é, que, no caso das criaturas humanas, poder-se-ia às vezes supor que não se trata precisamente de uma alucinação telepática reproduzindo a forma do agente, mas antes, do próprio espírito do agente que, logo que liberto dos laços da matéria, voltou ao meio em que vivera, procurando assinalar a sua presença aos seus familiares. Ora, embora não se trate de uma criatura humana, porém de uma cachorrinha, é preciso reconhecer que a maneira com a qual se comporta o fantasma – correndo e pulando no quarto, presa de um acesso de alegria, como a cadelinha viva tinha o costume de fazer – depois de uma longa ausência, sugere irresistivelmente a ideia da presença espiritual do animal morto.

E, aqui, a fim de prevenir qualquer objeção possível relativamente a esta suposição, que poderia parecer, à primeira vista, gratuita ou audaciosa, recordo que, na introdução desta obra, já preveni os meus leitores de que narrarei, no momento chegado, alguns bons exemplos de aparições *post-mortem*, de formas de animais identificados, que foram percebidos, quer coletivamente por várias pessoas, quer sucessivamente por diversos percipientes que ignoravam, reciprocamente, a experiência dos outros. Segue-se daí que esses fatos, absolutamente conformes ao que se produziu nas aparições, *post-mortem*, de espíritos humanos, justificam e confirmam a suposição que acabo de aventar.

Caso XII – (Visual) – O seguinte caso foi tirado dos *Proceedings of the Society for Psychical Research*, vol. XIV, p. 285, e narrado pela sra. Mary Bagot. Ei-lo:

Os animais têm alma? | 31

Em 1883, achavamo-nos alojados no *Hotel des Anglais*, em Menton. Havia deixado na minha casa, em Norfolk, um cãozinho *fox-terrier* amarelo e preto chamado Judy, meu grande favorito, e o confiara aos cuidados de nosso jardineiro. Certo dia, quando me achava sentada à mesa do hotel, percebi de repente que o meu cãozinho atravessava a sala e, sem refletir, gritei: "Como é que você está aqui, Judy?" Não havia, entretanto, nenhum cão no lugar. Breve estava na casa de minha filha, que se achava acamada e sofrendo, e lhe contei o caso. Alguns dias após, recebi uma carta na qual me era narrado que Judy, depois de ter saído de manhã com o jardineiro para fazer o seu passeio habitual e, não estando muito bem, fora atingido por um mal súbito, pela hora do almoço, e morrera em meia hora. Bastante tempo decorreu para eu me convencer de que o vira no instante mesmo em que expirava.

A filha da sra. Bagot, sra. Wodehouse, a pedido do sr. Frederic Myers, lhe enviou o diário do que tomara nota durante a sua estada em Menton. Ali escreveu a respeito do caso acontecido com a sua mãe, nestes termos: "24 de março de 1883. Mamãe, durante o jantar, viu a figura de Judy!" A mesma senhora narra a Myers suas recordações sobre o caso, do qual tiro as seguintes linhas:

Recordo-me perfeitamente de que meu pai, minha mãe, minha irmã (srta. Algernon Law) e minha cozinheira (srta. Dawnay) entraram todos no meu quarto e me contaram, rindo, que mamãe vira Judy atravessar a sala quando estava sentada à mesa do hotel. Minha mãe estava de tal modo certa de que vira alguém, que meu pai, creio eu, foi perguntar a um empregado do hotel se havia cães no estabelecimento, o que lhe foi respondido negativamente.

(Para outros detalhes a este respeito, envio os leitores ao volume VII, p. 243 dos *Proceedings of the Society for Psychical Research*)

Este caso é, em tudo, semelhante ao precedente, só que desta vez a forma do cãozinho morto se limita a atravessar o aposento, sem dar qualquer sinal de ter consciência do meio em que se achava, nem da presença de sua dona, modalidade de manifestação 'passiva' conforme a que se produz nas alucinações telepáticas propriamente ditas, ao passo que, no exemplo precedente, o animal se comportou de modo espontâneo e 'ativo', de modo a mostrar a sua presença espiritual no lugar.

Caso XIII – (Visual táctil, com telecinésia) – O astrônomo Camille Flammarion comunicou aos *Annales des Sciences Psychiques* (1912, p. 279) a seguinte narração que lhe foi enviada pelo sr. G. Graeser, residente em Lausanne, na Suíça:

> Permiti-me relatar-vos um pequeno fato que diz respeito às manifestações de que falais no vosso livro *L'inconnu et les problèmes psychiques*. Não vos falaria dele se tivesse visto um caso semelhante na supracitada obra.
>
> Não se trata de uma pessoa, mas de um animal... Um pouco solitário, amando o estudo e não o mundo, não tenho amigos, mas tive um só: um cão, que era mais inteligente do que muitos homens. Era o meu guardião. Durante a noite, quando ficava sozinho e contemplando o céu, ele estava fielmente deitado aos meus pés, com o seu espesso pelo (era um são-bernardo) me cobrindo as pernas, de forma que me era difícil mexer quando precisava seguir a marcha de uma estrela. Se estivesse no meu quarto e lendo, ele ficava sentado, olhando-me, e eu direi mesmo que me compreendendo. Sentia que ele gostava tanto da solidão quanto eu, por isto não nos separávamos.
>
> Vou fazer-vos esta exposição para que possais compreender a minha afeição por ele e por que o considerava como um amigo.
>
> Eis, pois, a minha narração:
>
> Foi em dezembro de 1910, precisamente no dia 14, que minha mãe levou o meu Bobby com ela. Devo observar, antes de tudo, que tinha o desagradável costume, quando alguém se aproximava, de se mostrar para com ele um tanto agressivo; em segundo lugar, que, quando eu discutia com meu pai, ele tomava parte na disputa e se colocava seriamente ao meu lado.
>
> Por motivo de uma queixa, penso eu (só o soube muito tarde, para meu pesar), meus parentes resolveram mandar abatê-lo.
>
> Aconteceu numa noitinha, às 7 horas e meia. Eu estava no meu quarto e ouvi a porta abrir-se (ele a abria sozinho, pois era tão alto como eu, medindo 1 metro e 80). Então, escutei a porta abrir-se e vi aparecer o meu Bobby, com ar de sofrimento, no limiar da porta. Gritei: "Vem, Bobby!", sem levantar os olhos, mas ele não me obedeceu. Repeti então a minha ordem e ele veio, esfregou-se nas minhas pernas e deitou-se no tapete. Quis acariciá-lo, mas... ele não estava lá.
>
> Ainda que eu nunca tenha lido histórias iguais em *L'inconnu*, precipitei-me para fora de meu quarto, deixando a porta ainda aberta, e

Os animais têm alma? | 33

telefonei para Lausanne (dois quilômetros), ligando para o galpão do abatedouro, e eis textualmente o meu rápido diálogo:
– Alô, fala do abatedouro.
– O senhor viu aí uma senhora de preto com um cão são-bernardo?
– Acaba-se de abater um deles, há dois minutos apenas. Está deitado, e a senhora perto.
A estas palavras, caí de costas e desmaiei. Quando voltei ao meu estado normal, chamei pelo meu cão. Ele não se achava lá, estava morto. Depois me foi contado todo o drama.
Tal é a história de meu Bobby. É de se notar que, no mesmo minuto em que morria, eu o via com os meus próprios olhos e o que afasta qualquer ideia de alucinação é a porta aberta por ele próprio.
(O sr. Flammarion pediu a um professor da Universidade de Lausanne que fizesse um inquérito sobre o caso, sendo-lhe confirmada a narrativa do jovem sr. Graeser.)

Neste caso notabilíssimo, encontram-se duas circunstâncias de produção que não se realizam senão raramente nos casos de alucinação telepática. A primeira e a mais importante consiste no fato de que a aparição da forma do cão foi precedida pelo fenômeno físico da porta que se abriu. Na fenomenologia telepática, encontram-se bastas vezes episódios nos quais o percipiente vê abrir-se uma porta e entrar um espírito, mas quase sempre a porta é achada, em seguida, bem fechada, o que mostra que o suposto fenômeno físico não foi senão uma visão alucinatória complementar da outra. Ao contrário, neste caso, assim como, aliás, em um bem grande número de outros, a porta foi achada aberta pelo percipiente, não se tratando, então, de uma alucinação, mas de um fenômeno físico de ordem supranormal.
O fenômeno em questão não poderia, pois, ser explicado senão reconhecendo o fundamento do que observamos anteriormente, isto é, que as aparições que chamamos de telepáticas não o são sempre na significação puramente alucinatório-verídica que se liga à telepatia. Pode-se tratar algumas vezes de verdadeiras aparições objetivas implicando a presença, no local, da entidade espiritual que se manifesta. Essa entidade, por motivo de morte muito recente e violenta, ficaria, durante algum tempo, saturada de 'força vital' e poderia assim agir ainda sobre a matéria. Se o incidente da porta que se abriu foi bem observado, então somos levados a inferir daí que a forma do cão não era apenas uma simples projeção alucinatório-verídica, mas, antes, a objetivação de alguma coisa de análoga ao 'pe-rispírito' do animal.

A asserção seria, de certa forma, confirmada pela outra circunstância que se produziu durante a manifestação, a saber: que o cão respondeu ao convite do seu dono, entrando no quarto do moço, deitando-se aos seus pés e esfregando-se nas suas pernas. Todos estes detalhes são sugestivos em favor de uma presença real, pois que, em geral, as aparições telepáticas são inertes como estátuas. Quando elas se deslocam e caminham, procedem de maneira automática, como se ignorassem o meio em que se acham, modalidades todas conformes à teoria segundo a qual elas consistiriam em puros simulacros projetados exteriormente pelo pensamento do percipiente, influenciado pelo do agente.

É bem verdade que, em certos casos, as formas telepáticas provam que elas não ignoram o meio em que se acham, nem as pessoas que as observam e às quais dirigem mesmo, por vezes, a palavra. Apenas, nestas circunstâncias, pode-se perguntar se não se trata realmente, e sempre, de manifestações objetivas. Em suma, já que tudo concorre para provar que as aparições de formas espirituais têm a sua origem em causas diversas, de tal modo que há certamente formas objetivas (entre as quais a classe total dos fenômenos de bilocação), nada impede que se admita também que uma parte das manifestações que ocorrem seja do tipo telepático-alucinatória.

Caso XIV – (Visual) – O rev. Ellis G. Roberts enviou à *Light* (1922, p. 241) a narração de um incidente supranormal acontecido à sua filha e escrita por esta mesma nos seguintes termos:

> Eu possuía um *fox-terrier* irlandês chamado Paddy e havia entre nós uma afeição recíproca. Certa manhã ele não apareceu para a primeira refeição e não fiquei preocupada, porque tinha o costume de ir passear sozinho, embora fosse quase sempre regular na hora da comida. Pelas nove horas, achava-me na cozinha que se abre sobre uma pequena arcada, de onde, por uma outra porta, se passa à despensa. A porta exterior estava aberta e da posição que ocupava eu podia ver diretamente o jardim. Era uma manhã ensolarada e a terra estava coberta de neve. Olhando para fora, vi Paddy chegar pulando sobre a neve, atravessar o jardim, entrar na arcada e desaparecer na despensa. Eu o segui, mas não o encontrei em parte alguma. Espantada e perplexa, voltei para a cozinha, onde se achavam diversas pessoas que, nada tendo visto, queriam convencer-me de que eu havia tomado por Paddy um outro cão de raça dálmata, de pelo malhado, muito mais gordo do que Paddy e muito diferente de um

Os animais têm alma? | 35

fox-terrier irlandês. Esse animal ficava também na casa. Estava apegada a uma tentativa de explicação, que me parecia absurda: eu havia percebido, no fundo brilhante da neve, o meu cãozinho, observando bem o contraste entre o seu pelo negro e a brancura do meio. Voltei a procurá-lo por todas as partes, mas inutilmente. Paddy não estava na casa.

Cerca de uma hora e meia, vi Paddy chegar em condições deploráveis: tinha pedaços de pelo arrancados do peito e das pernas e quatro a cinco dentes lhe faltavam da boca. Evidentemente o coitado do animal tinha sido assaltado e maltratado sem piedade, porém nós nunca chegamos a saber o que lhe tinha sucedido. Morreu alguns meses após, mas não creio, entretanto, que a morte tenha sido causada pelas feridas.

O rev. Ellis G. Roberts continua esta narração com algumas linhas de comentários:

> Minha filha nunca foi sujeita a alucinações visuais, de modo que me parece que a única explicação razoável do incidente narrado consiste em o reconhecer como um exemplo de telepatia entre um cão em perigo e a sua dona, para a qual o seu pensamento se voltou, precisamente, na necessidade em que se achava de ser socorrido.

As conclusões do rev. Roberts parecem consistentes e sólidas, sendo-nos pois, inútil tratar do assunto, mas seria útil, uma vez mais, observar que as condições, nas quais se realizou, contribuem para confirmar ainda a regra a que já fizemos alusão há bem pouco, isto é, que as manifestações telepáticas se produzem geralmente seguindo a 'via de menor resistência' que elas encontram nas faculdades sensoriais do percipiente. Se não for assim, quando um agente telepático se acha numa situação dramática e dirige o seu pensamento para um protetor que está longe, este deveria invariavelmente perceber a imagem do agente segundo a situação na qual se acha. Com efeito, a agitação produzida pela situação não pode senão ter invadido momentaneamente o campo inteiro da consciência do agente, parecendo então que não pôde achar lugar para outra ideia senão a que o domina no momento da transmissão telepática. Ora, ao contrário, verifica-se, na prática, que esta correspondência na representação verídica dos acontecimentos não se realiza a não ser raramente nas transmissões telepáticas, assim como ela não se realizou no caso da filha do rev. Roberts, onde vimos que um cãozinho assaltado e maltratado, tendo, inegavelmente, voltado o seu pensamento para a sua afastada protetora, determina nesta uma manifestação telepática em consequência da qual a moça, em lugar de o perceber na situação em que se achava, o vê voltar para casa, caminhando penosamente, atravessar o jardim e entrar na despensa, isto é, que ela o visualiza em uma das formas habituais de sua atitude diária. Ora, esta diferença entre o pensamento do agente e a visualização da percipiente só pode ser explicada graças à lei psíquica que indicamos, segundo a qual todo o impulso telepático está sujeito a se transformar para o percipiente na visualização que lhe é a mais familiar, com relação ao agente.

Faço notar, em último lugar, que, quando uma visualização telepática é a reprodução fiel da situação na qual se acha o agente, o fato significa que as condições da relação psíquica entre o agente e o percipiente são de tal modo harmoniosas que não existem obstáculos para o impulso telepático.

Caso XV – (Visual) – Foi publicado na *Light* (1918, p. 189) pela sra. Joy Snell, a bem conhecida sensitiva e clarividente, autora do livro *The ministry of the angels* (O ministério dos anjos), onde ela narrou as visões mais importantes que teve, entre as quais numerosas aparições de espíritos juntos a leitos de moribundos, aparições vistas durante o exercício de sua profissão de enfermeira diplomada. Ainda que a narração seja longa e que a primeira parte dela não se reporte diretamente ao assunto de que nos ocupamos, resolvemos narrá-la por inteiro, dado o interesse psicológico que apresenta. A sra. Joy Snell assim se exprime:

> Prince é um cão-lobo de raça russa. Ainda que não esteja mais no número dos vivos há vários anos, continuo a falar dele até hoje, pois, para mim, ainda está vivo e isto o sei positivamente já que vem sempre visitar-me, mostrando-me que tem por mim a mesma afeição do passado. Quando ele me aparece, olha-me com o seu olhar afetuoso, pousa a sua cabeça nos meus joelhos, balançando alegremente a sua cauda. Aconteceu-me encontrar pessoas que perceberam, por sua vez, Prince ao meu lado e fizeram uma descrição minuciosa apesar de nunca o terem conhecido em vida. Eram pessoas que possuíam faculdades psíquicas análogas às minhas, graças às quais o que não é normalmente visível pode tornar-se visível.
>
> Quando Prince ainda estava neste mundo, sua principal ocupação consistia em acompanhar a sua dona nos seus passeios a pé ou de carruagem. Numa tarde de verão, voltei com o cão para casa, depois de

uma longa excursão. Duas horas após, Andy, o rapaz da cavalariça, veio prevenir-me de que o canil de Prince estava vazio e que não se achava o cão em parte alguma. Prince nunca havia faltado, de modo semelhante, aos seus hábitos regulares. Andy se mostrava preocupado e foi imediatamente à procura do cão, mas eis que Prince apareceu, pulando por cima da cerca, e veio ao nosso encontro balançando a cauda. Depois de ter manifestado a sua satisfação de não ter sido punido, ele me puxou levemente pela sala, em direção à porta e, lá chegando, levantou-se sobre as pernas traseiras e, apoiando as dianteiras na porta, começou a me olhar e a latir. Como repetisse por várias vezes a mesma cena, compreendi que ele queria que o seguisse a alguma parte, de modo que o rapaz da estrebaria resolveu contentá-lo. Abriu então a porta, chamando por Prince, mas este me puxou novamente pela sala, fazendo-me compreender que ele queria que eu fosse também. Eram nove horas da noite e nós nos pusemos em marcha, todos três. Prince seguiu a estrada por algum tempo, depois do que penetrou nos campos, correndo sempre diante de nós, e parou uns cinquenta metros adiante para nos esperar. Depois guiou a nossa marcha durante mais de duas milhas. Chegamos finalmente a um fosso rodeado de uma cerca, numa abertura da qual se achava uma pilha de fetos. Lá, o animal se deteve, esperando a nossa vinda, e, ao mesmo tempo, nos olhando com uma expressão de estranha ternura. Era evidente que tinha chegado ao fim, onde havia algo de misterioso que queria mostrar-me, entretanto não podia encontrar uma explicação por que não tinha anunciado, balançando a cauda, a nossa chegada, mas logo depois, compreendi a razão do seu silêncio. No monte de fetos estava deitada, profundamente adormecida, uma criancinha de perto de três anos. Se Prince tivesse balançado a cauda por certo a teria acordado e espantado.

Agora, eis como chegou-se a explicar o estranho fato de uma criancinha abandonada em um cercado. Ela havia brincado toda a tarde no prado, com um grupo muito numeroso de outras crianças, enquanto os camponeses retornaram na sua carroça para a herdade, sem se aperceberem de que, naquele bando de crianças, faltava uma. Levei a criancinha aos seus pais que me agradeceram, chorando e beijando-me. Esse gesto magnífico de Prince o tornou famoso em todo o país.

Pensativa, eu me perguntava, perplexa: "Como Prince pôde descobrir a criança adormecida?" As circunstâncias nas quais a descoberta se deu bem mostram que não se trata de um acaso, pois eu não podia imaginar coisa alguma, mas, agora, depois de anos, já não acontece o mesmo. Eu sei, agora, que os cães – ou pelo menos certos cães – são dotados de faculdades psíquicas e podem perceber os espíritos dos mortos.

Segundo penso, na tarde em que Prince saiu à procura da criancinha extraviada, ele foi levado a agir assim por alguma entidade espiritual percebida somente por ele, como acontece nos casos de pessoas dotadas de faculdade de clarividência. Essa entidade deve ter guiado o animal até o cercado onde a criança dormia e a inteligência e o instinto do cão fizeram o resto.

O coitado do Prince teve uma morte violenta e, provavelmente, sem sofrer. Andy, o moço da cavalariça, indo à estação da estrada de ferro, levou-o para fazer um passeio. Prince foi apanhado e esmagado por um trem que chegava. Naquele momento, eu lia ao lado da lareira e, acontecendo-me olhar por cima do livro, vi Prince estendido com todo o comprimento do seu corpo sobre o capacho dela e eu exclamei: "Já de volta, Prince?" Isto dizendo, estendi a mão para acariciá-lo, porém ela não encontrou resistência, só o vácuo: Prince tinha desaparecido. Naturalmente que concluí que fora joguete de alguma imaginação de maneira estranha, mas uma hora depois Andy chegava trazendo a triste notícia. Quando Prince me apareceu foi pouco depois do instante em que fora esmagado pelo trem.

A primeira parte da narração da sra. Joy Snell é interessante sob o ponto de vista da psicologia animal, pois que contém um exemplo esplêndido da inteligência e dos sentimentos generosos que possuem alguns espécimes da raça canina.

Assim como justamente observou a sra. Snell, não parece possível explicar o fato da descoberta da criancinha extraviada pela hipótese do acaso, considerando-se que o cão havia deixado propositalmente, e contra todos os seus hábitos, o canil, para ir procurá-la, como se ele tivesse agido sob o golpe de um impulso exterior que, neste caso, não podia ser senão de origem supranormal.

Quanto à afirmativa da sra. Snell de que ela continuava a perceber frequentemente a forma do cão falecido e que diferentes pessoas o tinham percebido como ela, é uma afirmativa a que só se pode atribuir valor de prova, tendo em vista a natureza positivamente alucinatória de várias formas análogas de visões subjetivas e a impossibilidade de separar as formas alucinatórias das que não o são. Observo, todavia, que, no presente caso, encontra-se uma circunstância colateral que militaria em favor da realidade objetiva das aparições em questão, a qual consiste no fato de que a mesma clarividente esteve sujeita a formas múltiplas de aparições subjetivas, de que se pôde comprovar a natureza positivamente verídica, tais como, por exemplo, numerosas aparições de espíritos no leito de morte, percebidos por ela no exercício de sua profissão de enfermeira diplomada.

Caso XVI – (Visual-auditivo) – Tomo-o de empréstimo à *Revue Scientifique et Morale du Spitisme* (1920, p. 251) e é a sra. Camier que narra este fato acontecido a ela mesma:

> Eu possuía uma belíssima gata angorá, de comprido pelo branco manchado de cinza e de olhos verdes rodeados de preto. Era mansa e meiga e todo o mundo a admirava, mas tinha um defeito: todas as noites tentava fugir para ir passear. O pátio da casa em que eu morava era dividido em dois por uma grade e ela escapava saltando por cima dela. Certa noite cheguei ao pátio a tempo de agarrá-la quando se preparava para pular a grade. Tinha-a apenas apertada nos meus braços quanto tive a surpresa de perceber uma outra gata angorá, em tudo igual à minha, e que pulava por cima da grade. Naquela ocasião, nada sabia a respeito de doutrina espírita e olhei do outro lado da grade para certificar-me desse fato estranho, embora sabendo que, em todo quarteirão, não existia uma gata semelhante à minha, mas, lá do outro lado, nada vi.
>
> Mais tarde, já tendo algum conhecimento de espiritismo, compreendi que a minha gata estava, naquele instante, de tal modo possuída pela ideia de fugir, que o seu perispírito se libertou com tamanha força e ele pôde parecer substancial.
>
> Algum tempo depois, o pobre animal ficou doente e me vi na necessidade de confiá-lo aos cuidados de um veterinário. Na noite em que ela morreu, senti – positivamente senti – a minha gata agarrar, com as suas unhas, a minha coberta e subir para a cama, como fazia habitualmente, impressão tão real que estendi instintivamente a mão para certificar-me de que não estava enganada. Na manhã do dia seguinte fui à casa do veterinário, onde soube que a minha gata havia morrido durante a noite, sendo o seu último pensamento evidentemente para mim.

Dos dois incidentes de telepatia animal contidos na narração da sra. Camier, o segundo não difere dos outros que relatamos, ao passo que o primeiro é de natureza excepcional e interessante. Dispensando a explicação fantasista que dele dá a percipiente, podemos dizer, entretanto, que este incidente constitui um exemplo bem característico de transmissão telepática de pensamento entre o animal e o homem. Ele nos faz assistir ao fenômeno de uma gata, surpreendida pela dona em flagrante delito de fuga, em brusca interrupção de sua intenção. A ideia que invade a sua mente se transmite telepaticamente à mente da dona, que percebe uma gata alucinatória saltando por cima da grade, de acordo com a imagem-pensamento existente na mente da gata real. O caso é notável e instrutivo, tanto mais que o animal agente se achava nos braços da percipiente.

◆ ◆ ◆

Deixo de narrar, por brevidade, sete outros casos semelhantes, enviando os eventuais leitores interessados às seguintes obras e publicações:

Caso XVII – *Phantasmas of the Living*, vol. II, p. 446 (Visual).

Caso XVIII – *Journal of the S.P.R.*, vol. VI, p. 375 (Visual-coletivo).

Caso XIX – Juiz Edmonds: *Letters and Tracts*, p. 336 (Visual-coletivo).

Caso XX – *Rivista di Studi Psichici*, 1900, p. 350 (Visual).

Caso XXI – *Proceedings of the S.P.R.*, vol. X, p. 181 (Visual-coletivo).

Caso XXII – *Revue Scientifique et Morale du Spiritisme*, 1911, p. 723 (Visual-táctil-coletivo).

Caso XXIII – *Revue Scientifique et Morale du Spiritisme*, 1920, p. 25 (Visual).

Segunda Categoria

Alucinações Telepáticas nas quais um Animal é o Percipiente

Os casos desta categoria, ainda que não lhes falte, por vezes, algum interesse, não podem apresentar um real valor científico por causa da impossibilidade de se assegurar do que aconteceu efetivamente a um animal e o que ele realmente percebeu quando, a um dado momento, coincidente com o falecimento de uma pessoa ausente que lhe é familiar, pareceu, por sinais manifestos, sentir ou perceber algo de anormal.

Entretanto, se se pensar que as manifestações supranormais, pertencentes a uma mesma classe, devem ser encaradas cumulativamente e não isoladamente, os fenômenos em questão podem então, eles também, adquirir, por ricochete, um certo valor teórico. Com efeito, se as outras categorias de manifestações análogas parecem realmente verídicas, lógico é concluir daí que os incidentes de natureza inverificável da presente categoria devem ser verídicos, por sua vez, ao menos em seu conjunto.

Assim sendo, limito-me a citar três breves exemplos deles:

Caso XXIV – Em *La Revue Spirite* de janeiro de 1905, p. 51, o barão Joseph de Kronhelm narra o seguinte fato que aconteceu a pessoas de suas relações:

> Um oficial de meu conhecimento, acantonado em Gajsin, na Podólia, Rússia, partia, no mês de abril, para a Manchúria para a guerra com o Japão. Na véspera do dia de sua partida, enviou o seu cão de

caça, um belo animal, muito inteligente e que lhe era muito afeiçoado, a um outro oficial do mesmo regimento, seu amigo, grande amante da caça, pedindo-lhe para guardar o animal até a sua volta, se Deus lhe permitisse voltar. Na eventualidade de sua morte, devia o cão ficar como propriedade do amigo. Três meses após a partida do oficial, certa manhã, o cão, sem nenhuma causa aparente, se pôs a soltar terríveis uivos que incomodaram muito a família do oficial e os seus vizinhos. Tudo o que se fez para acalmá-lo foi inútil. O pobre do animal não deu a menor importância às carícias do oficial e de sua esposa, nem quis comer nada, uivando sem cessar dia e noite, até que os seus uivos cessaram no terceiro dia. O dito oficial, um homem muito instruído, que já ouvira falar sobre os pressentimentos dos animais, anotou cuidadosamente a data do acontecimento e disse à sua esposa: "Queira Deus que eu me engane... mas estes uivos de nosso cão, sem nenhuma razão aparente, são um sinal de mau agouro. Acho que vai acontecer-nos alguma desgraça ou iremos receber má notícia." E a desgraça não se fez por esperar. Algum tempo após, chegava a notícia da morte do antigo dono do animal, que falecera durante uma luta com os japoneses, no instante mesmo em que esse começara a uivar.

Este fato parece bastante probante no sentido nitidamente telepático, pois, se o animal se pôs subitamente a uivar lastimosamente, sem causa aparente, persistindo nessa atitude apesar dos afagos que lhe faziam os familiares e mesmo recusando-se a comer, é preciso supor que devia haver aí uma causa oculta qualquer correspondente à desolação dele. Ora, como se verificou que, no momento em que o cão começou a uivar, o seu antigo dono morria na guerra, tudo contribui para se presumir que o animal teve realmente a visão telepática da morte do oficial.

Caso XXV – Foi primeiramente publicado na *Light* (1818, p. 5) – Um redator dessa publicação espírita londrina, amigo do sr. Tom Terriss, filho do ator dramático William Terriss, assassinado em 1817, escreve:

> Na noite mesma do assassinato, a sra. Terriss estava sentada no salão do seu pequeno hotel no Belford Park e tinha, sobre os joelhos, um pequeno *fox-terrier* chamado Davie, que dormia. Seus filhos, William e Tom, estavam com ela. O relógio marcava sete horas e vinte minutos quando, de repente, sem que nada o pudesse fazer prever, o cão pulou para o chão e começou a se atirar para cá e para lá, rosnando, ladran-

do, arreganhando os dentes e mordendo, num extraordinário estado de cólera e de terror. Essa insólita atitude do animal causou profunda impressão na sra. Terriss, que ficou transtornada pelo resto da noite. Pois bem, foi exatamente às sete e vinte da noite que o ator dramático William Terriss tombou assassinado.

Seu filho Tom exprimiu-se assim a este respeito: "Eu jogava uma partida de xadrez com meu irmão William e o cão dormia em cima dos joelhos de nossa mãe, quando, repentinamente, ele nos assustou ao pular para o chão e começou a pular de um lado para outro, furioso e agitado, arreganhando os dentes e mordendo o vácuo. Nossa mãe ficou espantada e exclamou: 'Que aconteceu? O que ele está vendo?' Ela estava convencida de que a raiva do animal era dirigida contra um inimigo invisível. Eu e o meu irmão nos esforçamos por acalmá-lo, embora estivéssemos, por nossa vez, bastante surpresos e perplexos com a atitude inexplicável de um cão geralmente tranquilo e de temperamento dócil."

Considerando a natureza inverificável do episódio em questão, seria inútil estender-se em comentários especiais, limitando-me então a observar que o fato de haver correspondência perfeita da hora em que se deu o assassinato com a mímica furiosamente agressiva do animal leva irresistivelmente a pensar que ele teve realmente a visão subjetiva da cena dramática na qual o seu dono sucumbia e, em consequência, tentou defendê-lo, lançando-se contra o agressor.

Caso XXVI – Retiro-o de *Les Annales des Sciences Psychiques* (1916, p. 149) – Consta de uma carta particular que a sra. Esperanza Payker enviou a 7 de dezembro de 1916, de Zurique, Suíça, a uma das amigas, e se refere à morte, na guerra, de um irmão da remetente da carta. Eis a passagem essencial da narrativa:

Você me pede notícias de Richard. Ele faleceu, infelizmente, combatendo contra os russos. Ele, o cosmopolita, que queria ver em todo homem um irmão! No momento de sua morte, aconteceu um fato que não pode deixar de lhe interessar. Você se lembra de Kacuy (o cão de Richard). Pois bem, às sete horas da noite, de treze de agosto último, ele estava como que adormecido aos meus pés. Repentinamente, levanta-se e corre para a porta, sacudindo a cauda, latindo e pulando como se fosse receber uma pessoa conhecida, mas, subitamente, retirou-se espantado, uivou lastimosamente, gemeu, tremeu, voltou a deitar-se aos meus pés, sem deixar de gemer a noite inteira. Na manhã do dia seguinte, abandonou a casa e nunca mais foi visto.

Ora, a estranha manifestação do cão coincidiu exatamente com a hora em que Richard tombava gravemente ferido e o desaparecimento dele se deu na hora da morte do seu dono.

Também neste exemplo, a mímica expressiva do animal tende a demonstrar o caráter verídico da telepatia, neste caso, considerando-se que, de início, ele se comportou alegremente, como se assistisse à volta de um familiar, para mudar, em seguida, bruscamente, de atitude, dando mostras de espanto, como se tivesse notado a natureza fantasmagórica do que percebia.

Terceira Categoria

Alucinações Telepáticas Percebidas Coletivamente pelo Animal e pelo Homem

Esta categoria é o complemento da precedente e serve para apoiar a suposição de que os casos focalizados na série anterior são realmente telepáticos. Com efeito, se, nos casos da Segunda Categoria, só os animais é que eram percipientes, nos que agora vamos expor, as percepções animais são compartilhadas pelos homens e, nestas condições, os últimos confirmam os primeiros. É-nos preciso, entretanto, acrescentar que, se o caráter coletivo dessas manifestações testemunha que elas têm mesmo uma origem telepática, não prova, todavia, que o homem e o animal experimentem as mesmas percepções, só se podendo supor tal fato racionalmente, pela atitude dos animais no decurso de numerosos episódios.

Objetar-se-á talvez que as percepções animais dessa natureza podem ser produzidas por uma transmissão, na mente do animal, de uma alucinação que teria lugar na mente da pessoa presente, mas esta objeção é contraditada pelo fato de que, em numerosos casos, o primeiro percipiente não é o homem e sim, o animal.

Caso XXVII – (Auditivo-visual-coletivo, com impressão de vento 'muito frio') – Tiro-o da obra de Flammarion *L'inconnu et les problèmes psychiques* (*O desconhecido e os problemas psíquicos*), pp. 166/67 A sra. Marie de Thyle, doutora em medicina, residente em Saint Julien, Suíça, escreve:

Uma das minhas amigas de estudos (sou doutora em medicina) fora à Índia como médica-missionária. Perdemo-nos de vista, como muitas vezes acontece, mas sempre gostando uma da outra.

Certa vez, na noite de vinte e oito para o dia vinte e nove de outubro (eu estava então em Lausanne, Suíça), fui despertada antes das seis horas por pequenas batidas na minha porta. Meu quarto de dormir dava para um corredor que terminava na escada do andar. Eu deixava a porta do meu quarto entreaberta para permitir que um grande gato branco que eu então tinha fosse caçar durante a noite (a casa formigava de ratos). As batidas se repetiram, mas a campainha da noite não havia tocado e eu não ouvi ninguém subir a escada.

Por acaso, meus olhos caíram sobre o gato que ocupava o seu lugar habitual ao pé de minha cama e ele estava sentado, com o pelo eriçado, tremendo e rosnando. A porta moveu-se como se agitada por um leve golpe de vento e eu vi aparecer uma forma envolvida numa espécie de tecido vaporoso branco como um véu sobre uma roupa escura, mas não pude distinguir bem o rosto. A forma aproximou-se e eu senti um sopro glacial passar por mim, ao passo que o gato rosnava furiosamente. Instintivamente fechei os olhos e, quando os reabri, tudo havia desaparecido. O gato tremia o corpo inteiro, que estava banhado de suor.

Confesso que não pensava na minha amiga na Índia, mas em outra pessoa. Cerca de quinze dias mais tarde, soube da morte de minha amiga na noite de vinte e nove para o dia trinta de outubro de 1890, em Shrinagar, na Cachemira. Soube depois que havia sucumbido a uma peritonite.

Neste caso, em que a percipiente não pôde ver a face do espírito, não se pode dizer que ele tenha sido identificado como a amiga da percipiente, falecida naquele dia, na mesma hora, todavia o simples fato desta coincidência já constitui uma boa presunção no sentido das conclusões da doutora Thyle.

De certo modo isto não diz respeito ao assunto de que nos ocupamos no momento, isto é, o da percepção coletiva de manifestações supranormais por parte de homens e animais. Ora, sob este ponto de vista, é preciso observar que, se o gato mostrou-se espantado a ponto de ficar tremendo e com abundante transpiração, tal fato mostra que teve, por sua vez, a visão de algo de bastante anormal para o aterrorizar. Que podia ser essa 'qualquer coisa' senão a forma espectral percebida pela sua dona?

Caso XXVIII – (Auditivo-coletivo) – Encontram-se na obra de Hudson Tuttle intitulada *The arcana of spiritualism* vários fatos de percepções supranormais da parte de animais, entre os quais figura este, de ordem coletiva, na página 234:

> O grumete do navio a vela Avalanche, no naufrágio do qual pereceu toda a tripulação, possuía um cão que o amava muito e que atendia prontamente à chamada de um apito para cães que o seu dono trazia sempre consigo. Na noite do naufrágio, a mãe e a tia do grumete achavam-se no toalete e o animal na cozinha. Entre nove e dez horas, ambas foram surpreendidas por um assobio muito forte vindo do andar superior. O som era justamente o do apito de que se servia o jovem grumete. O cão o tinha reconhecido por sua vez e imediatamente correspondido por meio de latidos, como era de seu hábito, e corrido para o andar superior, onde, acreditava ele, supunha encontrar o seu dono.

Se o cão do coitado do grumete correu para o andar superior, latindo, e se, no mesmo instante, as duas percipientes tinham localizado o soar alucinatório do apito familiar, tudo leva a crer, logicamente, que o animal tinha ouvido a mesma coisa.

Caso XXIX – (Visual-coletivo) – Encontrei-o no *Journal of the Society for Psychical Research* (vol. XIII, p. 28). O eminente mitólogo e sociólogo Andrew Lang comunicou o seguinte fato observado por uma sua sobrinha, que lhe escreveu a respeito:

> Skelhill, Kawick, 8 de outubro de 1906
> Cheguei a este país a quatro de agosto; segunda-feira, 6, estive no monte Pen, onde, pela primeira vez, vi um espírito. Achava-me acompanhado de meu velho cão Turk e subia a encosta muito lentamente, parando várias vezes, devido às pernas curtas do meu companheiro e à sua respiração difícil, isto tanto mais que o mato era rasteiro e duro. Havia marcado um último descanso no lugar em que o Pen erige bruscamente o seu cimo imponente. Estava sentado com as costas voltadas para o dique e com o rosto para a costa rochosa, enquanto Turk estava sentado, ofegante, aos meus pés.
> Repentinamente vi chegar em minha direção minha amiga, a doutora H., com a qual fiz a viagem de volta da América, em 1905. Vestia uma saia curta, azul, com um corpete de algodão branco. Estava sem chapéu e trazia uma bengala na mão. Quando se achou perto de mim, notei uma

mecha de cabelos caída sobre a testa. Soube, quinze dias antes, que ela voltara da América para a Inglaterra, de onde devia partir novamente a doze de setembro e que se propunha ir até a Cornualha para rever os seus pais, porém eu ignorava quando ela voltaria. Fiquei de tal modo surpresa por reencontrá-la naquele lugar que, durante um instante, não me mexi e não pude articular uma só palavra, mas Turk fez-me voltar a mim, rosnando contra a recém-vinda. Então levantei-me com um salto, exclamando: "A sra. aqui, doutora H.?" A estas palavras, a doutora se voltara, olhando-me, e, em seguida, continuou tranquilamente a descer pelo atalho que eu acabara de subir. Surpresa com a sua atitude, pois estava certa de que ela me havia visto, segui-a com a intenção de detê-la. Esperando, Turk não parara de rosnar e de latir, mas sem se afastar de mim, embora de hábito ele avance, rosnando, contra as pessoas e os cães que lhe são desconhecidos. Observei que os pelos do seu dorso estavam eriçados e que a sua cauda estava arqueada feito um gancho. Quando eu a alcancei e ia estender o braço para pôr a mão sobre o ombro dela, um grande inseto zumbidor se interpôs entre nós, voando através do seu corpo! Então vi a doutora desaparecer. Naturalmente que fiquei perplexa e consternada, pois então não havia tido a menor ideia de que não se tratava de minha amiga em carne e osso. Sem Turk, eu teria duvidado dos meus sentidos, mas, nestas condições, não era possível, já que o cão se mostrara incontestavelmente irritado e rosnando contra alguém. Juro-lhe que estou gozando de boa saúde, que nunca me senti tão bem e que há um ano só bebo água. Não posso precisar o minuto em que vi a aparição, mas, como quando me sentei, eram seis horas e cinco minutos do cair da tarde, deduzi daí que deviam ser seis horas e quinze, talvez um ou dois minutos mais, quando a vi desaparecer.

Apanhei rapidamente o lápis e tomei nota do estranho fato num envelope que tinha no bolso. Logo que voltei para a minha casa, ditei a narração detalhada do sucedido. Naturalmente que escrevi desde ontem à doutora, perguntando-lhe o que ela fazia em tal dia e tal hora em que me apareceu. Logo que tenha respondido, eu lhe informarei a respeito.

Em sucessiva carta da sobrinha do professor Lang ao seu tio havia o seguinte trecho:

  Encontrei-me com a doutora H. e ela me disse que, no dia e na hora indicados, descia a colina do Tintagel, vestida exatamente como eu a descrevi, com mais um traje de banho no braço, que eu não vira no momento.

A irmã da doutora H. escreve por sua vez:

> No dia 6 de agosto de 1906, pelas seis horas da tarde, a doutora H. descia a colina do Tintagel, depois de se ter banhado. Estava com uma saia azul, sem chapéu, e no braço, um traje de banho.

Como se pôde ver, no caso em questão, trata-se da aparição de uma pessoa viva, percebida juntamente por um cão e a sua dona. Se a autenticidade da aparição não pode ser posta em dúvida, por outro lado, as modalidades da manifestação se afastam da regra que rege as aparições desta espécie, pois que, geralmente, o agente se acha em condições excepcionais do ponto de vista emocional, enquanto que, no caso de que nos ocupamos, não parece que seja assim. De todo modo, é verossímil que a doutora H. tenha podido, naquele momento, volver o seu pensamento para a sua amiga ausente, com a qual deveria encontrar-se dias mais tarde.

Sob a ótica que nos interessa, observo que a aparição foi vista simultaneamente pelo animal e pela sua dona, pois a atitude do cão, que rosnava e latia contra a forma percebida mas não ousava afastar-se da saia protetora de sua dona, mostra que ele compreendia claramente que se achava na presença de uma manifestação fantasmagórica, ao passo que a sua dona acreditava absolutamente achar-se em face de sua amiga em carne e osso. Esta é mais uma razão para contradizer a hipótese da transmissão do pensamento do homem ao animal.

Caso XXX – (Visual com anterioridade do animal sobre o homem) – Este caso foi publicado na *Light* (1907, p. 225). O sr. J. W. Boulding, conhecido autor espiritualista, relata o seguinte fato que aconteceu com uma família amiga da sua:

> Um dos meus amigos, residente em Kensington, estava enfermo já há algum tempo e, em certa tarde de domingo do verão passado, um outro dos meus amigos e a sua esposa foram fazer-lhe, de carro, uma visita. Quando chegaram perto de um ponto da estrada de ferro, não longe da residência do doente, o cavalo começou a se rebelar, não quis seguir caminho, parecendo tomado de um súbito terror. Tremia, recuava, empinava, espantando muito as pessoas que se achavam no veículo. Em dado momento, a senhora se levantou para certificar-se do que se passava e o seu espanto foi grande ao ver que, diante do cavalo, de braços abertos,

estava o amigo doente que eles iam visitar! Seu espanto foi tal que ela caiu desmaiada no assento da carruagem e o marido teve de dar ordem ao cocheiro para que voltasse para casa. Eram 6 horas da tarde. Mais tarde resolveram pôr-se novamente a caminho e, quando chegaram à casa do amigo, notaram que os postigos das janelas estavam fechados: não tardaram a serem informados de que o enfermo morrera exatamente na hora em que surgira diante do cavalo. Note-se que o primeiro a perceber a aparição foi o animal, circunstância que surge em apoio à afirmação de grande número de pessoas de que os animais compartilham com o homem as faculdades de clarividência.

Com efeito, nos casos em que o animal é o primeiro a perceber uma aparição telepática, não há hipótese racional a se opor à que considera os animais como dotados de faculdades supranormais subconscientes, à semelhança do homem, e esta consideração solve problemas psicológicos e filosóficos de primeira importância.

Caso XXXI – (Visual com anterioridade do animal sobre o homem) – O rev. Minot Savage, no seu livro *Can telepathy explain?* (*Pode a telepatia explicar?*), pp. 46/48, narra o seguinte caso:

> Uma jovem dama, pertencente à minha paróquia de Boston, estava, em certa tarde de domingo, sentada no banco do seu piano, tocando, e não pensando em nada. Nenhum dos membros da família se achava na casa, nem mesmo criados. Um cãozinho, muito querido pela referida senhora, estava deitado numa cadeira, a alguns passos. Estando sentada frente ao piano, dava as costas à porta que abria para o salão. De repente, sua atenção foi atraída pela atitude do animal que se tinha levantado, com o pelo eriçado no dorso, e começara a rosnar surdamente, olhando para a porta. A moça virou-se logo e percebeu as silhuetas vagas de três formas humanas que se achavam no outro quarto, perto da porta dando para o salão. Antes que as formas desaparecessem, pareceu-lhe reconhecer uma delas. Nesse meio tempo, o terror do cão tinha aumentado a tal ponto que fora se ocultar debaixo do sofá, de onde não se decidiu a sair senão depois de insistentes chamados de sua dona.
> A importância deste episódio está em que prova que se tratava de alguma coisa que fora percebida pelo animal antes que a sua dona, isto é, excluindo toda forma de sugestão relacionada com uma origem humana.

Da mesma maneira, relativamente a este fato, é fácil observar que, se o cãozinho se levantou de um pulo, rosnando surdamente e olhando para a porta, para correr em seguida a se refugiar debaixo de um móvel, tudo isto mostra claramente que ele teve a visão de algo fantasmagórico capaz de o espantar, tal como acontece muitas vezes nos casos desta espécie. O caso é tanto mais notável porque os cães têm o instinto de ficarem irritados e de rosnarem à vista de um intruso em carne e osso, mas não o de terem medo e se esconderem.

Caso XXXII – (Visual-coletivo, com anterioridade do animal sobre o homem). O seguinte caso é muito importante, pois que as pessoas que experimentaram a mesma forma de alucinação telepática, simultaneamente com um cão – foram sete. O caso foi comunicado à *Society for Psychical Research* por Alexandre Aksakof. Eu o extraio do vol. X, p. 127, dos *Proceedings* (atas) da Sociedade:

> São Petersburgo, 4 de maio de 1891. – Eis a narrativa do fenômeno de que toda a nossa família foi testemunha. Aconteceu em São Petersburgo, em 1880, quando morávamos na rua Pouchkarska. Numa tarde do mês de maio, pelas seis horas, minha mãe (hoje sra. Telechof) estava no salão com os seus cinco filhos, dos quais era eu o primogênito (tinha então 16 anos). Naquele momento, um antigo servidor da casa, que se tratava como amigo (mas que, na época, não servia mais conosco), viera visitar-nos e se empenhara em conversa com a minha mãe. De repente, as alegres distrações das crianças pararam e a atenção geral voltou-se para o nosso cachorro Moustache, que se precipitara, ladrando fortemente, para a lareira. Involuntariamente olhamos todos na mesma direção e vimos na cornija da grande lareira, como ornato de faiança, um meninote de seis anos mais ou menos, de camisola. Reconhecemos nele o filho de nosso leiteiro, André, que vinha muitas vezes, em companhia de sua mãe, brincar com as crianças, pois viviam bem perto de nós. A aparição se destacou da cornija, passou acima de todos nós e desapareceu pela janela aberta. Durante todo esse tempo, uns segundos apenas, o cão não deixava de latir com todas as suas forças e corria e rosnava ainda, seguindo o movimento da aparição.
>
> No mesmo dia, um pouco mais tarde, nosso leiteiro veio à nossa casa e nos comunicou que o seu filho André, depois de uma enfermidade de alguns dias (nós sabíamos que ele estava doente) acabara de falecer, o que aconteceu provavelmente no momento em que o vimos aparecer.

Daniel Amossof, Maria Telechof (mãe de
M. Amossof, no segundo casamento)
Kousema Petrof (morando presentemente
em Lebiajeyé, perto de Oranienbaum).

Neste último caso, a atitude do cão, em face da aparição, parece de tal forma característica e eloquente que somos irresistivelmente levados a concluir que ele teve a mesma visão que os sete outros percipientes. É preciso observar, com efeito, que o cão (que fora, além disto, o primeiro a experimentar a sensação telepática) se atirara na direção da lareira, onde os outros percipientes localizaram a aparição, e que, durante todo o tempo em que a aparição ficou visível, não parara de ladrar para ela, seguindo-a no seu movimento aéreo.

Caso XXXIII – (Visual-auditivo-coletivo, com anterioridade do animal sobre o homem e 'impressão', pela percipiente, de um sopro de vento frio). O caso foi colhido e examinado pelo professor James Hyslop, que o publicou no *Journal of the American Society for Psychical*. (1907, p. 432), sem dar os nomes dos protagonistas por pedido feito pela senhora que é autora da narrativa. Eis o que conta ela:

> Há dois anos, meu primo William P., de 21 anos de idade, morria tuberculoso. Desde os primeiros anos da infância que a mais profunda afeição existia entre nós e a circunstância de sermos ambos apaixonados pela música nos ligava ainda mais, embora ele morasse em Tottenville (Nova Iorque) e eu, X., a uma distância de duzentas milhas. No mês de março de 1901, caiu doente e... faleceu a vinte e nove de março de 1902. Naquela ocasião, estava no meu quarto e lia a Bíblia. Achava-me só com o meu filho de quatro anos, dormindo na sua caminha, e o meu cãozinho favorito. O quarto dava para um gabinete de trabalho cuja porta não era fechada senão por uma dupla cortina de cor azul. Lia atentamente e sem ser perturbada, durante algum tempo, mas, em um dado momento, ouvi passos pesados no dito gabinete, e no instante seguinte um sopro de vento glacial abria as cortinas, roçando-me o rosto. O animal levantou a cabeça, olhou naquela direção e correu, gemendo, para se meter debaixo de uma cadeira. Por minha vez olhei e percebi, entre as porteiras, o espírito de meu primo, alto e ereto, tal como ele era antes da doença, com os braços estendidos, um sorriso angélico nos lábios. Fiquei olhando-o como que petrificada, durante alguns minutos, e o vi desaparecer quando o relógio marcava nove horas. No mesmo instante, ouvi soar a campainha da porta e chegava um telegrama dizendo: "William faleceu oito horas. Venha imediatamente."

Minha mãe me disse que o rosto de meu primo recém-falecido oferecia à vista uma expressão de grande sofrimento, mas que, depois de cerca de meia hora, tinha experimentado uma mudança estranha, transformando-se em um sorriso angélico, que conservava ainda quando o depositamos no esquife, sorriso com o qual me apareceu entre as cortinas da porta do gabinete de trabalho.

Se esta narrativa for publicada, queira suprimir os nomes dos protagonistas, pois os meus familiares atribuem minha visão a uma superexcitação nervosa. (Assinado por inteiro: sra. H. L. B.).

O professor Hyslop escreveu ao marido da sra. H. L. B., que é médico, e ele confirmou os fatos assim:

Respondendo às perguntas que V. Sa. me formulou em sua carta de 22 de maio, declaro que as duas notáveis experiências relatadas por minha esposa se desenrolaram tais como ela as narrou. O segundo fato, em relação ao falecimento de um dos nossos primos, não está menos presente à minha memória que o primeiro. Ele aconteceu antes da chegada do telegrama nos comunicando o seu falecimento. Minha esposa contou logo o fato à criada de quarto, que se acha atualmente em Filadélfia, e ao sr. J. H., residente aí. Não sei como explicar teoricamente os fatos em questão. (Assinado por inteiro: doutor M. L.).

Neste caso ainda, o primeiro percipiente foi um cão.

Há que se notar que o espírito do defunto se manifestou uma hora após a sua morte, com o rosto apresentando o mesmo sorriso angelical que havia aparecido no cadáver 'uma hora depois do decesso' e que, além disto, sua manifestação foi precedida pelo fenômeno auditivo de passos pesados vindos do gabinete de trabalho bem como é percebido durante as sessões experimentais no momento da materialização mediúnica.

A circunstância teoricamente mais importante é a demora de uma hora da manifestação telepática, embora isso possa ainda ser explicado pela hipótese da 'telepatia retardada', entretanto esta hipótese não é mais válida quando se trata de fatos do mesmo gênero nos quais a demora foi de dias e de semanas, resultando daí a necessidade de recorrer a uma hipótese mais compreensível, capaz de explicar cumulativamente toda a série de manifestações retardadas coincidentes com casos de morte. Ora, isto não pode ser feito sem se acolherem essas manifestações na categoria das 'aparições de mortos' e não na das 'aparições de vivos', como se tem feito até hoje. Isto não é adiantado, bem entendido, senão de maneira geral, admitindo a possibilidade de exceções à regra nos casos de breves demoras, de acordo com condições especiais.

Caso XXXIV – (Visual-coletivo, com anterioridade do animal sobre o homem) – O professor Andrew Lang comunicou à *Society for Psychical Research* (*Journal*, vol. XIV, p. 70) o episódio que segue, constante de um carta que lhe foi dirigida por uma senhora de sua amizade:

22 York Mansions, Battersea Park, S. W.
10 de fevereiro de 1909
Caro professor,
No decurso do seu artigo publicado no *Morning Post*, o senhor citou um caso de aparição percebida simultaneamente por uma dama e o seu cão. Penso que lhe pode interessar um caso semelhante que aconteceu comigo mesma e o meu cão, há seis anos. Eu lia, sentada ao lado da lareira, no meu salão, cuja porta estava fechada. Meu cão, Dan, dormia em cima do tapete. De repente, fui distraída, na minha leitura, pelo animal, que começara a rosnar surdamente. Debrucei-me para ele a fim de o acalmar, fazendo-lhe carinhos, porém ele ficou mais estranho. Então olhei na mesma direção que o animal (o que não pude fazer senão virando-me na minha cadeira) e, com grande espanto meu, distingui uma forma de mulher vestida de cinzento, de pé, junto à porta. Não podia distinguir os traços do seu rosto, que ficara oculto por uma planta colocada sobre a mesa. Julguei a princípio que fosse a minha irmã e não dirigi a palavra para lhe perguntar por que viera tão cedo e como pudera entrar no aposento sem fazer ruído, mas logo me lembrei de que, estando sozinha, havia colocado o ferrolho na porta da casa. Então me levantei de um salto, espantada, enquanto que Dan se lançara ladrando contra a intrusa, que desapareceu subitamente, embora a porta do salão continuasse fechada. O animal mostrava todos os sintomas de raiva e medo ao mesmo tempo, com os olhos luzindo, mas a cabeça baixa e o pelo eriçado ao longo da coluna vertebral. Parecia convencido de ter visto uma pessoa real, visto que, quando abri a porta, lançou-se, latindo furiosamente, e desceu a escada, para subi-la em seguida, procurando sempre a intrusa que, naturalmente, não chegamos a achar. Só na casa, experimentei um sentimento de alívio quando, pouco depois, a campainha da porta tocou e a minha irmã entrou.

Não tenho nenhuma teoria a propor para a explicação deste fato, sendo-me, aliás, impossível ligar a visão tida com acontecimentos que se produziram antes ou depois, mas estou absolutamente certa do que percebemos, eu e o meu cão, embora não tenha outra testemunha para confirmar a minha narrativa. Naturalmente, contei imediatamente o caso à minha irmã.

Sra. Emma-L. Darton

Podem-se encontrar detalhes adicionais do caso em questão no supracitado volume do *Journal* da *Society for Psychical Research*.

O sr. Andrew Lang supõe que, nesta circunstância, trata-se provavelmente de um caso de 'telepatia procedendo uma chegada', isto é, que a irmã da sra. Darton, dispondo-se a sair, tinha pensado intensamente em algo relativo ao seu meio doméstico, determinando a projeção telepática do seu espírito no local. Essas manifestações telepáticas têm realmente acontecido e a Sociedade inglesa de pesquisas psíquicas já juntou um número bem grande delas, todavia creio pouco verossímil que assim seja no caso em exame, porque não me parece que o animal ficasse furioso na presença de uma pessoa da família.

Eliminando esta hipótese, não seria fácil descobrir a gênese da forma vista pela referida senhora e o seu cão, a menos que se considere como um simples fenômeno de assombração.

Em todo o caso, a solução do problema não parece interessar no momento. Basta-nos notar que, ainda neste exemplo, o animal foi o primeiro percipiente.

◆ ◆ ◆

Omito treze outros casos análogos que constam das seguintes obras e publicações:

Caso XXXV – *Proceedings of the S.P.R.*, vol. V, p. 307 (Auditivo--coletivo-assombração).

Caso XXXVI – *Proceedings of the S.P.R.*, vol. V, p. 308 (Auditivo--coletivo-assombração).

Caso XXXVII – *Proceedings of the S.P.R.*, vol. V, p. 453 (Visual--auditivo).

Caso XXXVIII – *Proceedings of the S.P.R.*, vol. X, p. 327 (Visual--coletivo).

Caso XXXIX – Camille Flammarion: *L'inconnu*, p. 104 (Visual--coletivo).

Caso XL – *Phantasms of the living*, vol. II, p. 149 (Visual).

Caso XLI – *Phantasms of the living*, vol. II, p. 245 (Visual).

Caso XLII – *Phantasms of the living*, vol. II, p. 458 (Visual).

Caso XLIII – *Phantasms of the living*, vol. II, p. 510 (Visual).

Caso XLIV – *Journal of the S.P.R.*, vol. IV, p. 53 (Visual-coletivo, com anterioridade do animal sobre o homem).

Caso XLV – *American Proceedings of the S.P.R.*, p. 144 (Visual--coletivo).

Caso XLVI – *American Proceedings of the S.P.R.*, p. 145 (Visual--coletivo, com anterioridade do animal sobre o homem).

Caso XLVII – *American Proceedings of the S.P.R.*, p. 146 (Visual--auditivo, com anterioridade do animal sobre o homem).

Quarta Categoria

Visões de Espíritos Humanos Tidas Fora de Qualquer Coincidência Telepática e Percebidas Coletivamente por Homens e Animais

Os fatos pertencentes a esta categoria são relativamente frequentes e têm uma importância teórica porque apresentam muitas vezes o valor de caso de identificação espirítica. Relatarei primeiramente dois episódios de datas bem antigas, resumindo-os:

Caso XLVIII – (Visual) – No seu livro sobre a vidente de Prevorst, o dr. Justinus Kerner fala de uma aparição que a vidente percebia, frequentemente, junto dela, durante mais de um ano.

Ele observa a respeito que, cada vez que a vidente anunciava a presença da aparição, um galgo, pertencente à família, se comportava de modo a fazer supor que ele a via também e corria logo para perto de alguma das pessoas presentes, como se lhe quisesse pedir proteção, gemendo, às vezes, lastimosamente. Desde o primeiro dia em que ele viu a aparição, nunca mais quis ficar sozinho durante a noite.

Caso XLIX – (Visual-auditivo) – Sob o título de *Aparições reais de minha esposa antes de sua morte* (Chemnitz, 1804), o dr. Wetzel publicou um livro que causou grande impressão na sua época.

Ele conta que, certa tarde, algumas semanas depois da morte de sua esposa, quando se achava no seu quarto, sentiu subitamente, em torno de si, um vento turbilhonante, ainda que as portas e as janelas estivessem fechadas. A luz se apagara enquanto um batente da alcova se abrira. Na fraca claridade que reinava no quarto, Wetzel havia percebido a forma de sua mulher, que lhe dissera com voz fraca: "Carl, sou imortal, nós nos veremos novamente." A aparição tornou a se mostrar e, desta vez, o cão do dr. Wetzel tinha girado em torno do lugar onde se achava ela, sacudindo alegremente a cauda.

Neste último caso, semelhantemente, é preciso considerar a atitude do cão, que parecia ter efetivamente percebido uma forma se assemelhando à sua falecida dona.

Apesar disto, considerando-se que, nos dois fatos que acabo de citar, os primeiros a experimentar em a alucinação foram, respectivamente, a vidente e o dr. Wetzel, pode-se sustentar, razoavelmente, a hipótese de que os dois percipientes tenham, em seguida, servido de agentes, transmitindo aos animais uma forma alucinatória que germinou no cérebro deles. Em todo caso, esta hipótese não destruiria a importância dos fatos em questão, no nosso ponto de vista, pois que esta solução do problema provaria igualmente, de maneira categórica, que fenômenos de transmissão telepática entre o homem e o animal se produzem, com efeito, o que constitui o fim essencial desta classificação.

Ora, este fato uma vez reconhecido como formas alucinatórias do tipo em questão, não seria mais lógico recusar reconhecê-lo como formas da telepatia verídica ou como uma outra modalidade qualquer de percepções psíquicas no fundo das quais existe sempre uma forma mais ou menos disfarçada de transmissão telepática.

Isto dito, importa salientar que a hipótese de que nos ocupamos não chega a explicar senão os simples casos nos quais a visão alucinatória foi percebida precedentemente pelo homem, e não os outros casos em que a anterioridade pertence certamente aos animais.

Observo enfim que a hipótese em questão, ainda que livremente explorada por numerosos pesquisadores no domínio dos estudos metapsíquicos, está longe de ter fundamento. Ao contrário, ela constitui um grosseiro erro, pois que, salvo raras exceções confirmando a regra, não se conhece ainda exemplo de alucinações coletivas entre criaturas humanas que extraiam as suas origens de um influxo contagioso de transmissão telepática do pensamento. Bem sei que, nos tratados de patologia mental, encontra-se um grande número de casos de alucinação coletiva, sobretudo nos loucos, por contágio místico, porém tudo isso se realiza exclusivamente por 'sugestão verbal', e jamais por 'transmissão telepática do pensamento', o que equivale a declarar que um abismo existe entre as duas ordens, de fato.

Deve-se, por acréscimo, considerar que, mesmo nas experiências hipnóticas em que existe entre o hipnotizador e o sensitivo uma 'relação psíquica' firmemente estabelecida, é muito raro que o hipnotizador chegue a provocar, à distância, no sensitivo, formas alucinatórias com o auxílio da transmissão telepática do pensamento, quando ele as obtém, à vontade, por meio da 'sugestão verbal'.

A importância teórica destas observações não escapará a ninguém e eu almejo que os futuros pesquisadores, operando no domínio das ciências metapsíquicas, façam a consideração devidamente. Entre as investigações atuais, não há senão a do professor Charles Richet que reconhece a absurdidade de explicar, pela transmissão telepática do pensamento, os casos de visões ou percepções supranormais de ordem coletiva, o que deve ser assinalado em sua honra.

Caso L – (Visual) – O seguinte caso foi comunicado à *Society for Psychical Research* por Alexandre Aksakof. Eu o extraio dos *Proceedings* dela, vol. X, p. 328, assim:

(Nota tomada da narração da sra. T.) – Outubro de 1891 – Em 187... a sra. T. achava-se, certo dia, em casa dos seus vizinhos do campo, sr. e sra. B..., em P... A conversa versava sobre um acontecimento trágico que ocorreu na família dos T. e terminou pelo suicídio de um dos parentes da sra. T., que de repente o viu aparecer no quarto contíguo ao salão, onde eles se achavam e cuja porta estava fechada. Ao mesmo tempo, o cão da dona da casa, que se achava deitado aos seus pés, se levantou e começou a latir furiosamente na direção da porta. O sr. e sra. B... não viram nada, porque estavam com as costas voltadas para a porta, e a sra. T... não lhes disse nada do que havia visto.

(Confirmação desta narração por uma carta da testemunha, sra. B...) – 15 de outubro de 1891 – Foi em 187..., em nossa propriedade de Twer. Éramos três: sra. T..., nossa vizinha que tinha vindo visitar-nos, meu marido e eu. Achávamo-nos reunidos no pequeno salão de nossa casa de campo, não longe de uma porta aberta dando para o meu quarto de dormir, aclarada por uma grande janela. A sra. T. estava sentada num sofá, defronte dessa porta, eu perto dela num tamborete, também defronte da porta, porém o meu marido estava num canto, de modo que ele não via essa porta. Aos meus pés estava deitado o meu cão Beppo, com a cabeça voltada para a saída. Nós falávamos sobre o acontecimento que acabara de ocorrer com a família dos T., onde a mulher, arrastada por uma paixão, abandonara seu marido e seus filhos e, onde, desesperado, este estourara os miolos. Meu marido acusava a mulher; a sra. T. acusava o marido, que ela sempre estimara muito, todavia, neste caso, ela não o desculpava. De repente ela se calou e o cachorro, levantando a cabeça, se pôs a uivar e quis precipitar-se para a porta aberta do quarto de dormir, com o pelo todo eriçado. O animal escapou de minhas mãos como que para se lançar sobre alguém. Tive grande dificuldade em retê-lo. Meu marido quis bater nele, mas eu o impedi. Nem ele nem eu vimos nada, exceto a raiva do cão. A sra. T. se calara e, quando o animal se acalmou, ela propôs passarmos para a sala onde se achava seu marido. Logo o sr. e a sra. T. partiram e não foi senão mais tarde, quando fui à casa de campo deles, que a sra. T. me contou que ela vira, diante da porta de meu quarto de dormir, o espírito daquele que ela acusava, vestido de branco, e com uma expressão de desespero em seus gestos como lhe censurando que ela também fosse contra ele. "Seu cão Beppo viu a mesma coisa", disse-me ela. "Ele ficou furioso e queria atirar-se contra a aparição". Bem que notei a raiva de Beppo, mas eu não percebi a aparição do espírito.

N. B.

Ainda neste episódio, a mímica agressiva do cão, que late furiosamente e quer lançar-se contra alguém na direção da porta, onde a sra. T. percebe, ao mesmo tempo, a aparição do defunto que ela havia acusado, tende a fazer admitir que o animal pôde ver a aparição, agindo do modo que agiu, pois os cães não agem senão contra pessoas desconhecidas.

E neste caso, não menos que em outros, a visão, tendo sido simultânea, poder-se-ia admitir a possível hipótese de uma alucinação que teria nascido no cérebro da sra. T. e sido transmitida telepaticamente ao cão, mas parece que as explicações fornecidas anteriormente por mim são suficientes para excluir esta hipótese gratuita, o que equivale a reconhecer o aspecto verídico do caso da aparição de um morto censurado pela sra. T.

Caso LI – (Visual auditivo-coletivo) – Recolho a seguinte passagem numa outra narração, bem notável, de Alexandre Aksokof, publicada nos *Proceedings of the S.P.R.*, vol. V, pp. 387/391. Acrescento, para plena compreensão do acontecimento, que o caso aqui relatado se refere à história de contínuas aparições tidas por uma moça de nome Palladia, falecida aos quinze anos de idade.

O narrador, sr. Mamchitch, foi o principal percipiente dele e assim o descreve:

> Em 1858, eu morava com meus pais na região de Poltava. Uma senhora de nossas relações viera passar alguns dias conosco, trazendo as suas duas filhas. Algum tempo depois da chegada delas, quando acordei de manhã, vi Palladia (eu dormia numa ala separada onde ficava sozinha) diante de mim, a cinco passos mais ou menos, olhando-me com um sorriso alegre. Aproximando-se de mim, disse-me duas palavras: "Eu vi." E, ainda sorrindo, desapareceu. Não pude compreender o que significavam estas palavras. No meu quarto, perto de mim, dormia o meu cão que, desde que vi Palladia, eriçou o pelo e, com um grunhido, pulou para a minha cama, premendo-se contra o meu corpo e olhando na direção onde vira Palladia. O animal não ladrava, habitualmente, mas não deixava entrar ninguém no quarto sem latir, ou rosnar. E todas as vezes em que o meu cão via Palladia, ele se comprimia contra mim como que procurando um refúgio.
>
> Quando Palladia desapareceu, fui para o andar inferior e não disse nada a ninguém. Na tarde do mesmo dia, a filha mais velha da senhora que se achava em nossa casa me contou que uma coisa estranha lhe tinha acontecido pela manhã: "Acordando cedo senti como se alguém se colocasse na cabeceira de minha cama e ouvi distintamente uma voz dizendo: "Não tenha medo, sou boa e carinhosa". Virei a cabeça, mas não percebi nada. Minha mãe e minha irmã dormiam tranquilamente e isto me espantou bastante, porque nada de semelhante nunca me aconteceu." Disse-lhe que muitas coisas inexplicáveis nos acontecem, porém não lhe falei sobre o que vira pela manhã. Só um ano mais tarde, quando já era seu noivo, falei-lhe da aparição e das palavras de Palladia no mesmo dia. Não é que ela a viu também? Devo acrescentar que eu via essa moça pela primeira vez e que jamais pensara que ia casar-me com ela.

A sra. Mamtchitch confirma a supracitada narração da seguinte maneira:

> 5 de maio de 1891 – Recordo-me muito bem de que a dez de julho de 1885, quando estávamos na casa dos pais do sr. E. Mamtchitch, eu acordava cedo porque tínhamos combinado, minha irmã e eu, irmos fazer um passeio matinal. Levantando-me da cama, vi que mamãe e minha irmã dormiam e, nesse mesmo momento, senti como se alguém estivesse na cabeceira de minha cama. Virando-me de lado, porque

temia muito olhar para lá, não vi pessoa alguma. Tendo-me deitado de novo, ouvi imediatamente detrás e acima de minha cabeça uma voz de mulher que me dizia, suave mas distintamente: "Não tenha medo, sou boa e carinhosa" e ainda uma frase de que me esqueci no mesmo instante. Logo depois me vestia adequadamente e ia passear. O estranho é que estas palavras não me espantaram absolutamente.

Nesta narrativa, a melhor demonstração de que o cão teve a mesma visão que o seu dono é fornecida pelo terror que ele experimentou diante da manifestação. O sr. Mamtchitch diz que o cão pulou para cima de sua cama, com o pelo eriçado no dorso, tremendo e gemendo, e se comprimira contra o seu corpo, olhando com espanto na direção em que o seu dono via Palladia. Ele acrescenta que o animal tinha o hábito de rosnar e latir contra quem quer que fosse. Ora, o insólito terror experimentado pelo cão mostra, de forma incontestável, que não somente ele via Palladia como compreendia instintivamente que não se achava diante de uma pessoa viva, de carne e osso, pois se fosse de outra forma acolheria o intruso rosnando e ameaçando.

Sob um outro ponto de vista – que não é o de que nos ocupamos nesta obra – observo que a narração, de onde extraio o episódio que acabo de reproduzir, constitui um excelente exemplo de identificação espirítica no qual o espírito de Palladia (que se ligara, quando viva, ao juiz Mamtchitch, por laços de afeição) forneceu numerosas e admiráveis provas a respeito de sua presença espiritual.

Caso LII – (Visual, com anterioridade do animal sobre o homem) – Este episódio faz parte da interessante relação enviada pelo professor Alexander, da Universidade do Rio de Janeiro, ao sr. Frederic Myers, e trata de um fenômeno psíquico de que o próprio autor foi testemunha:

> Depois, numa noite muito escura, quando estávamos sentados na varanda, o latido lento e monótono de um cachorro, acorrentado fora de casa, atraiu a nossa atenção. Nós o encontramos olhando no ar alguma coisa que nem o sr. Davis nem eu pudemos perceber. As moças, entretanto, declararam que elas viam uma forma espiritual bem conhecida que se mantinha em face do animal e o seu latido exprimia realmente um grande espanto.
>
> Mais tarde, quando a família ocupava a parte inferior da casa, a mais jovem das moças, quase ainda um bebê naquela ocasião, chamou a aten-

ção do seu pai para alguém perto da porta: "Um homem, um homem!", exclamava ela, mas para outros olhos que não os seus, nenhum homem era visível. E, enfim, antes que ela conseguisse nos fazer ver o que, aos seus olhos, era tão evidente, sua expressão transformou-se num espanto intenso e ela articulou um 'tudo partiu' habitual que, na sua linguagem infantil, significava que alguma coisa havia desaparecido. (*Proceedings of the S.P.R.*, vol. III, p. 188)

Neste caso, os latidos de terror emitidos pelo cão bem mostram que ele percebia algo de anormal. A circunstância, teoricamente importante, em que tal coisa aconteceu, antes que as duas moças tivessem percebido o espírito de um dos seus familiares na direção para a qual o animal rosnava, exclui definitivamente a hipótese pela qual se quereria explicar as manifestações de que se trata, isto é, um fenômeno de transmissão telepática, aos animais, de formas alucinatórias criadas pela mente de pessoas presentes.

Caso LIII – (Visual, com anterioridade do animal sobre o homem) – Eu o extraio dos *Proceedings of the S.P. R.*, vol. X, p. 327). O sr. H. E. S., que não deseja que se publique o seu nome, escreve o que se segue:

> 8 de agosto de 1892 – No ano de 1874, quando tinha apenas dezoito anos de idade, achava-me na casa de meu pai e, em certa manhã de verão, levantei-me lá pelas cinco horas, a fim de acender o fogão e preparar um chá. Um gordo cão da raça *bull-terrier*, que tinha o costume de me acompanhar por todas as partes, achava-se ao meu lado, quando me ocupava com o fogo. Em um dado momento, ouvi-o emitir um surdo rosnar, e olhar na direção da porta. Voltei-me para aquele lado e, com grande espanto, percebi uma figura humana, alta e tenebrosa, cujos olhos brilhantes se dirigiam para mim. Soltei um grito de alarma e caí de costas no chão. Meu pai e meus irmãos acorreram logo pensando que ladrões haviam entrado na casa. Contei-lhes o que havia visto e eles julgaram que a visão só tinha sua origem na minha imaginação, perturbada por motivo de recente doença. Mas, por que o cachorro também havia visto algo? Ele via às vezes coisas que eram invisíveis para mim e se lançava contra elas, com gestos de morder no ar e, em seguida, me olhava de certa forma como se quisesse perguntar-me: "Não viu nada?"

Neste caso, como no que o precede, o narrador-percipiente que, naquele momento, estava ocupado em acender o fogo – operação pouco própria para favorecer alucinações – se voltara e percebera a forma espiritual, porque o seu cão se pusera a rosnar de modo ameaçador. É, pois, difícil duvidar de que houvesse uma aparição objetiva no lugar do aposento para a qual o animal rosnava. Há ainda duas circunstâncias a salientar: que o animal foi o primeiro a assinalar a aparição e a acolhê-la do modo que os cães têm o hábito de acolher as pessoas intrusas, sendo fora de dúvida que o cão a percebera um momento antes de o seu dono.

Caso LIV – (Visual-coletivo) – Tirados do *Phantasms of living*, vol. II, p. 197. O caso que vou relatar e o que lhe seguirá têm relação com localidades assombradas e pertenciam, por consequência, à categoria VI desta classificação, entretanto, considerando que, nas localidades em questão, não se produziam outros fenômenos psíquicos a não ser a aparição de uma figura humana, me pareceu oportuno incluí-los na presente categoria. Ei-lo:

> 2 de março de 1884 – Em 1875, minha irmã e eu (tínhamos então treze anos de idade) voltávamos para casa, de carruagem, pelas quatro horas da tarde, num dia de verão, quando, de repente, vimos flutuar, acima de uma cerca, uma forma de mulher que deslizava, sem ruído, através da estrada. Essa forma era branca, estava em posição oblíqua e a uns dez pés do chão.
>
> O cavalo subitamente parou e tremia de tal modo espantado que não conseguíamos dominá-lo.
>
> Dirigindo-me à minha irmã, exclamei: "Você vê isto?", ao que respondeu que sim e fez a mesma pergunta ao seu filho Caffrey, que se achava também na carruagem.
>
> Essa forma franqueou a cerca, atravessou a estrada e passou por cima de um campo, depois a perdemos inteiramente de vista além de uma plantação. Creio que a observamos durante dois minutos. Ela não tocou nunca o solo, mas flutuou sempre a uma pequena distância da terra.
>
> Chegando a casa, contamos à nossa mãe o que havíamos visto. Tínhamos a certeza de que não fora um engano, nem uma ilusão de nossos sentidos, nem um pássaro, nem nada desta natureza.
>
> Nunca vimos nada semelhante, nem jamais tivemos qualquer outra visão antes ou depois. Todos nós três estávamos gozando de boa saúde,

fazia um belo tempo e ninguém nos tinha sugerido a ideia de uma aparição, antes da que nós vimos.

Mais tarde soubemos que se dizia que esse caminho era assombrado e que vários moradores da região tinham ali visto uma aparição.

Violet Montgomery
Sidney Montgomery

Aqui a aparição foi vista por três pessoas ao mesmo tempo e por um cavalo que parou de repente, trêmulo e espantado, a ponto de não obedecer à ação do cocheiro. Não penso que seja preciso ainda insistir no fato de que, em circunstâncias análogas às que tenho sucessivamente exposto, seria absurdo chegar a novas dúvidas na suposição de que os animais têm realmente as mesmas visões percebidas pelos homens. Não ignoro que, de um ponto de vista rigorosamente científico, não temos, em semelhantes circunstâncias, a 'prova absoluta' necessária para apoiar a hipótese em questão. Não o ignoro de forma alguma, mas quero observar que esta objeção não tem absolutamente um valor absoluto e que, ao contrário, ela se transforma em sofisma, em face do acúmulo imponente de 'provas relativas'.

Recordo que a forma espiritual percebida por elas três já tinha sido vista por várias pessoas na mesma localidade, ao passo que as três pessoas que se achavam na carruagem a ignoravam, o que serve para excluir inteiramente a hipótese da 'atenção expectante'. Não resta, pois, mais que reconhecer a natureza, de uma certa forma objetiva, da aparição, que pertence à classe das assombrações.

Caso LV – (Visual, com anterioridade do homem sobre o animal) – Tirado da mesma fonte anterior e narrado por uma dama que não deseja que o seu nome seja mencionado, nome que é conhecido pelos membros da diretoria da *S.P.R.* Escreve a srta. K. o seguinte:

> Foi numa tarde de inverno do ano de 18... Achava-me no meu quarto, sentada perto da lareira, inteiramente absorvida em acariciar a minha gatinha favorita que estava agachada sobre os meus joelhos, numa atitude quase sonhadora, com os olhos semifechados, parecendo adormecida.
> Embora não houvesse luz no quarto, os reflexos do fogo aclaravam perfeitamente todos os objetos. O aposento em que nos achávamos

tinha duas portas, uma das quais dava para uma peça inteiramente fechada. A outra, colocada defronte da primeira, abria para um corredor.

Minha mãe me deixara havia poucos minutos e a poltrona confortável e antiga, com um espaldar altíssimo que ela ocupava, ficou vazia no outro canto da chaminé. Minha gatinha, com a cabeça apoiada no meu braço esquerdo, parecia cada vez mais sonolenta e eu pensava em ir deitar-me. De repente, percebo que algo de inesperado havia perturbado a tranquilidade de minha favorita. Cessara bruscamente o seu ressonar e dava sinais evidentes de uma inquietação crescente. Curvei-me sobre ela, esforçando-me por acalmá-la com os meus carinhos, quando, repentinamente, se levantou nas quatro patas e começou a rosnar fortemente, numa atitude de defesa e de medo.

Essa atitude fez-me levantar a cabeça, por minha vez, e percebi, com espanto, uma figura pequena, feia, enrugada, de velha megera, que ocupava agora o sofá de minha mãe. Tinha as mãos sobre os joelhos e inclinara o corpo de modo a colocar a sua cabeça perto da minha. Os olhos penetrantes, luzentes, maus, me fixavam, imóveis. Parecia-me que era o diabo que me olhava pelos olhos dela. Suas roupas e o conjunto do seu aspecto pareciam os de uma mulher da burguesia francesa, mas eu não me importava com isto, porque seus olhos, com pupilas estranhamente dilatadas e de uma expressão tão perversa, absorviam completamente minha atenção. Gostaria de gritar com toda a força de meus pulmões, mas esses olhos maléficos me fascinavam e me continham a respiração. Não podia desviar o olhar dela, e ainda menos me levantar.

Enquanto isso, procurava segurar fortemente a gata, mas ela parecia não querer ficar nessa horrível vizinhança e, depois de alguns esforços desesperados, chegou a libertar-se, pulando por cima de cadeiras, mesas, tudo o que se achasse diante dela, lançando-se várias vezes e com violência extrema contra os caixilhos superiores da porta do aposento fechado. Em seguida, voltando-se para a outra porta, começou a atirar-se contra ela com uma raiva redobrada. Meu terror tinha assim aumentado. Ora observava essa megera cujos olhos maléficos continuavam a me fitar, ora seguia os olhos da gata, que ficava cada vez mais frenética. Finalmente, a espantosa ideia de que o animal talvez tivesse ficado enraivecido teve por efeito devolver-me o ar e eu comecei a gritar com todas as minhas forças.

Mamãe acorreu com toda a pressa. Logo que ela abriu a porta, a gata saltou literalmente sobre a sua cabeça e, durante uma boa meia hora, continuou a correr, para cima e para baixo, pela escada, como se alguém a perseguisse. Voltei para mostrar à minha mãe a causa de meu espanto. Tudo havia desaparecido.

Em semelhantes circunstâncias, é bem difícil apreciar a duração do tempo, todavia estimo a duração da visão de quatro a cinco minutos. Soube-se em seguida que a casa pertencera a uma mulher que se enforcara nesse mesmo quarto.

Srta. K.

(O general K., irmão da percipiente, confirma a narração acima. Para outros detalhes a este respeito, indico o *Journal of the Society for Psychical Research*, vol. III, pp. 268/271).

Este caso é incontestavelmente notável, quer por si mesmo, já que se trata de um fenômeno de assombração e tem relação com o suicídio de uma velha naquele mesmo quarto, quer por causa do paroxismo de terror verdadeiramente excepcional que se apossou da infeliz agora à vista do repugnante fantasma que surgiu, de repente, diante dela. Digo "fantasma" porque não se poderia achar outra coisa para explicar o pavor extraordinário que se apossou da gata, pavor que não deixou de existir mesmo depois do desaparecimento da causa que o provocou.

Pode-se acrescentar que, também neste caso, a percipiente ignorava o drama desenrolado naquele quarto, de modo que, se a gata não tivesse sido a primeira percipiente, a srta. K. não teria podido auto-sugestionar--se no sentido de provocar, em si própria, uma alucinação em relação com um drama que ela ignorava.

Segue-se daí que esta narração constitui um autêntico exemplo, muito interessante, de um caso de assombração com identificação do fantasma.

Caso LVI – (Visual-coletivo) – Colho-o nos *Annales des Sciences Psychiques* (1907, pp. 67 e 72, e 1911, p. 161). Refere-se às famosas experiências clássicas do professor Ochorowicz com a médium srta. Stanislawa Tomczyk. Na sua ata de 16 de janeiro de 1909, diz ele o seguinte:

> Na maior parte das precedentes sessões, tomaram parte, na qualidade de testemunhas sem voz consultiva, meus dois cães, um grande terra-nova e um pequeno fraldiqueiro de raça bastarda. Eram bem--educados, não se preocupavam com nada e se deitavam tranquilamen-

te no assoalho perto de uma poltrona, afastada cinco metros do divã onde se fazia a maior parte das experiências.

No instante em que a sonâmbula declarou que a pequena Stasia acabava de sentar-se na poltrona, o fraldiqueiro, deitado defronte dela, se pôs a rosnar. Voltei-me e vi o animal fixando a poltrona. O terra-nova dormia e não prestava atenção em nada. Ele não podia, aliás, ver a poltrona, mas o outro repetiu o seu rosnado por três vezes, levantando apenas a cabeça e sem se mexer. Ele não ficou calmo senão depois que a sonâmbula declarou que a menina não estava mais ali.

Um pouco mais adiante, na ata da sessão de dezenove de janeiro de 1909 (p. 72), o dr. Ochorowicz relata este outro incidente, do qual uma gata é que é a protagonista:

> Os começos da materialização do duplo pareciam se confirmar pela atitude de uma gata branca que se achava na sala de jantar. Ela fixa, com visível espanto, o lugar, debaixo da mesa, onde devia estar a pequena Stasia e, por várias vezes, vira o seu olhar para esse lado, depois salta apavorada, e se enfia num canto, o que nunca fez.

Na ata de dezessete de outubro de 1911 (*Annales*, 1911, p. 161), encontra-se um terceiro incidente do mesmo gênero, cujo protagonista é uma cadela são-bernardo. Eis o que conta o dr. Ochorowicz:

> Estou sentado perto de minha mesa de trabalho, a srta. Tomczyk defronte de mim e conversamos. De repente a minha jovem cadela da raça são-bernardo, que se acha deitada debaixo da mesa, aos meus pés, se levanta e começa a rosnar, olhando para um canto do canapé colocado detrás de mim. Ela avança lentamente, como espantada, e se põe a latir, fixando sempre o mesmo ponto, onde não havia nada de visível.
> A srta. Tomczyk sentiu, nesse momento, um arrepio que atribui à atitude incompreensível da cadela.
> – Será que ela está vendo alguma coisa?
> – É, sem dúvida, a pequena Stasia, digo brincando, que veio juntar-se a nós... Consultemos a prancheta.
> A srta. Tomczyk coloca ali a sua mão esquerda, e esperamos... A prancheta aproxima-se de mim como que para me saudar com alegria.
> – É bem você, pequena Stasia?
> – Sim, respondeu pela mesa.

Então resolvo fazer uma primeira sessão depois de amanhã... A pequena Stasia se manifesta, mas está tão fracamente materializada que a sonâmbula apenas a percebe, ao passo que a cadela não vê nada absolutamente...

Os episódios que acabo de relatar, nos quais os animais, que viram a forma espiritual da pequena Stasia, são três, quando a própria médium, no estado normal, não chegou a vê-la, e não pôde vê-la senão em condições sonambúlicas, servem para mostrar que os animais superiores, não apenas partilham com os homens a posse de faculdades supranormais subconscientes, como estão aptos a exercê-las quase normalmente. Sem negar esta possibilidade, é preciso, entretanto, observar-se: nos casos de manifestações telepáticas, trata-se efetivamente do exercício de uma faculdade supranormal subconsciente, pois que qualquer manifestação telepática é determinada por uma mensagem psíquica transmitida pelo eu integral, ou espiritual, do percipiente, que o passa ao seu eu consciente, ou encarnado, em forma de projeção alucinatório-verídica, única forma acessível a uma personalidade desta natureza, porém, no caso das experiências que acabo de citar, poder-se-ia ainda explicar os fatos sem sair do exercício da visão terrestre, pois que, nesses casos, a forma espiritual da pequena Stasia conseguia manifestar-se de uma maneira mais ou menos vaga a tal ponto que se conseguia fotografá-la. Para explicar tais fatos, bastaria então supor que as pupilas desses animais são sensíveis aos raios ultravioletas (como uma chapa fotográfica) e que, por consequência, eles conseguem perceber, com os seus olhos corporais, o que permanece invisível aos olhos humanos.

Caso LVII – (Visual-coletivo, com diferença de percepções) – Consta dos *Annales des Sciences Psychiques* (1911, p. 55). O sr. M. G. Llewellyn, conhecido escritor inglês, começa por prevenir os leitores de que ele não é espírita e que nada sabe sobre espiritismo, bem como que nunca leu livros ou revistas tratando desses assuntos até estes últimos tempos. Apenas lhe foi assegurado, de diferentes lados, que ele é um 'sensitivo'. Depois destas premissas, prossegue assim:

Certa noite, de que não me esquecerei nunca, estava no meu estado normal de saúde e muito tranquilo. Já havia ceado como de costume e me deitara pouco depois, achando-me nesse doce estado de espírito que constitui a sonolência. O quarto continuava mergulhado na mais completa escuridão, pois havia apagado a luz elétrica e fechado, além disto, as amplas e espessas cortinas que cobriam sempre as duas grandes janelas.

Meu gatinho, que dormia sempre na minha cama, ali se achava como de hábito e ressonava tranquilamente.

Enquanto permanecia assim, com os olhos semicerrados, percebi, aparecendo subitamente no alto da parede, à direita (o lado para onde eu estava virado), um longo rastro de luz, de um azul-claro e encantador. Ele se movia na direção da janela da direita e eu o observava com um olhar fascinado. "É estranho – pensava eu. Nunca vi o luar entrar desta maneira quando estas cortinas estão fechadas e, ademais, é um azul que não é o do luar e se move de um modo tão bizarro! O que pode ser isto? Mas naturalmente deve ser o luar e talvez haja nuvens que passem sob a lua".

A luz, de um azul que nunca vira antes e que nunca mais vi depois, continuava a entrar pelo quarto, sempre do mesmo lado, perto do teto, e eu olhava estupidamente o alto da porta sobre a qual pendia um pesado reposteiro vermelho, como se a luz tivesse podido atravessar uma muralha!

Finalmente, saltei da cama para o chão, abri as cortinas e olhei pela janela. Meu olhar espantado não encontrou senão uma escuridão impenetrável. Nada de lua, nada de estrelas, e nem a menor claridade! Não podia ver a estrada, nem a fila de árvores que havia nela, nada. As lanternas das ruas eram apagadas cedo na localidade em que moro, e as trevas eram absolutas.

"Podia ser alguém com uma lanterna ou um prolator?", perguntava-me, ainda espantado, ao voltar para a cama. Não estava inteiramente tranquilo e não me acorrera ainda a ideia de que em tudo isto havia algo de sobrenatural.

Enquanto eu torturava assim o meu cérebro, o gato pulava de repente para fora da cama, com o pelo eriçado e os olhos brilhantes e, de um salto, correra para a porta, onde começou a arranhar furiosamente o reposteiro, sempre soltando os mais espantosos chios que jamais vi em um animal. Eu estava bem espantado, todavia, mesmo assim, não pensava em nada de sobrenatural. Só pensava que o gato tivesse ficado de repente maluco. Este novo acontecimento me fez esquecer completamente a luz azul.

Sofria de tal modo vendo o terror do pobre animal que o tomei nos braços e procurei acalmá-lo. Todo trêmulo, o gatinho aconchegou-se contra mim, ocultando a cabeça e demonstrando estar preso do mais intenso pavor. Acariciei-o e consegui acalmá-lo um tanto, pouco a pouco, mas, com grande espanto meu, ele se mantinha em um lado da cama, olhando com medo, olhos luzindo e pelo eriçado. Eu não via nada, portanto estou absolutamente convencido de que o gatinho percebia alguma coisa, embora nada pudesse abalar a minha convicção.

Os animais têm alma? | 71

Sentindo-se em segurança nos meus braços, agora que o choque do horrível espetáculo – qual fosse ele – tinha passado, o pobre Fluff esticava o pescoço e olhava para baixo, para o tapete, seguindo os movimentos do inimigo, como se este, invisível para mim, andasse ao longo do leito, voltando diante do toalete. A 'coisa' – qual fosse ela – estava no assoalho e não fazia nenhuma tentativa para subir para a cama. Se 'isto' se aproximasse de nós, estou certo de que Fluff morreria de medo imediatamente. Olhei à minha volta, na direção do olhar do gato, porém não vi nada no tapete!

Não resta dúvida de que não devo esquecer-me de que vi a luz azul quando o animal dormia. Poder-se-ia supor que o meu medo a respeito da luz foi transmitido ao gato, mas até então eu não tivera nenhum medo, pensando mesmo que se tratava de uma coisa natural.

Em todo caso, o que meu gato viu deveria ser uma forma bem horrível, porque Fluff é o mais tranquilo, o mais carinhoso animalzinho que jamais conheci. Durante bastante tempo acreditamos que ele tivesse ficado mudo, pois não se ouviram nunca mais os seus miados.

A respeito desta interessante narração, apresso-me antes em fazer observar que o extraordinário pavor manifestado pelo gato não deve necessariamente nos levar a crer que ele tenha visto algo de terrível. Numerosos exemplos atestam que os animais são tomados de um pavor irresistível na presença de qualquer forma espiritual, mesmo inteiramente angelical. O que determina o terror deles é a intuição instintiva de que se acham na presença de um fenômeno supranormal.

Quanto ao outro fenômeno da luminosidade errante que o sr. Llewellyn tinha precedentemente observado, serve para apoiar a gênese supranormal da manifestação percebida pelo animal e demonstra, com efeito, que, durante aquela noite e naquele lugar, se produziram realmente manifestações supranormais das quais um gato e seu dono foram espectadores de maneira diferente. Já disse que essa diferença de percepções, muito frequente nas manifestações supranormais, se explica pelas idiossincrasias especiais dos percipientes, em virtude das quais uma mesma manifestação supranor-mal pode não afetar sob forma visual, a mente de uma pessoa, mas lhe ser parcialmente transmissível sob forma auditiva, táctil, olfativa, emocional. Esses são, com efeito, modos diferentes sob os quais pode-se transformar, indiferentemente, o mesmo impulso telepático-espírita que, para passar da subconsciência à consciência, só pode seguir a 'via de menor resistência' traçada pelas idiossincrasias sensoriais próprias a cada um dos percipientes.

Tudo isso se liga às manifestações supranormais percebidas coletivamente por intermédio de sentidos diferentes, mas o mesmo fenômeno pode-se produzir para as manifestações supranormais percebidas coletivamente por intermédio de um mesmo sentido, como aconteceu no caso relatado pelo sr. Llewellyn. E essas diferenças, na forma da percepção de um fenômeno, são bem frequentes nas manifestações metapsíquicas. Lembro-me de que, no decurso das sessões com William Stainton Moses, acontecia frequentemente que, no lugar em que o médium percebia uma entidade espiritual, as testemunhas viam uma coluna luminosa e, às vezes, uma simples banda luminosa errando pela parede, bastas vezes colorida de azul, como no caso que acabo de citar. Este caso pode então ser perfeitamente explicado da mesma maneira, supondo que o animal tenha percebido uma forma espiritual lá onde o seu dono só percebeu um traço errante azulado.

Caso LVIII – (Visual-coletivo) – Este caso foi publicado pelos mesmos *Annales des Sciences Psychiques* (1907, p. 423) e faz parte integrante da misteriosa história de 'Noula', relatada pelo coronel de Rochas. Trata-se de uma jovem dama russa, de alta linhagem, descendente dos príncipes de Radzwill, que percebia, constantemente ao seu lado, uma forma espiritual feminina, que ela chamava de 'Noula' e cuja realidade objetiva foi aprovada pelo fato de ter sido fotografada por várias vezes. Nas primeiras vezes em que 'Noula' apareceu, ela foi percebida, primeiramente, pelo cavalo da senhora a quem se deve a narração deste episódio:

> Sempre vivi com essa dupla personagem que eu chamava de 'Noula'. Quando criança, não a via, mas sempre, para os meus olhos, existia a impressão de que eu não estava só. Ouviam-me sempre responder perguntas que pareciam aos outros formuladas pela minha imaginação. A quem eu respondia? Eu não sei e não tenho absolutamente recordação dos fatos de que lhe falo, mas meu pai, quando me levou aos médicos, recordou-se perfeitamente do caso. O que lhe posso afirmar é que não tinha nenhum prazer em brincar com as outras crianças, gostando de ficar completamente só, quando, na verdade, não o estava.
> Vi 'Noula' quando saía da infância e quando era, logo em seguida, moça. Sua primeira aparição deu-se certo dia em que fui passear a cavalo com meu

pai, que me acompanhava sempre. Ela me apareceu tão assombrosa que, no começo, acreditei numa alucinação minha.

Ordinariamente eu montava um cavalo habituado a mim e dirigido da sela. Nesse dia tive a fantasia de montar um garanhão que nunca montara antes. No princípio pude dominá-lo, depois, tomado de um capricho, partiu à disparada, Que se passou? Não sei, mas subitamente ele ficou dócil e, diante dos meus olhos, percebi 'Noula', mui distintamente. Pensei por um instante que alguma pessoa, vendo-me em perigo, tivesse detido o cavalo e quis agradecer-lhe. Meu pai veio para perto de mim e começou a me censurar suavemente por causa do meu capricho, quando, observando-me, ele me viu tão mudada que teve medo, muito medo. (Eu sentia precisamente, em tal momento, uma estranha sensação de um vácuo imenso como se eu estivesse sentada no ar). Ele me tomou nos seus braços e me desmontou. Eu estava ainda com o olhar fixo e olhos dilatados que o espantavam tanto. Isso durou talvez um minuto, que pareceu muito longo. Quando saí de tal estado, minhas palavras foram: "O senhor não a viu? Diga-me!" Meu pai não me entendeu e os seus olhos me observavam com tanta inquietação que adivinhei logo o seu pensamento. Contei-lhe então o que se tinha passado e, com a sua lógica de matemático, ele concluiu que o medo me causara uma alucinação. Mas eu sentia que não. Apenas desejava tranquilizá-lo, pois tivera tanto receio por minha causa!

Voltamos para casa sem novo incidente. Fazia todos os esforços para parecer alegre e, no entanto, tinha medo. Ao entrarmos, meu pai me levou para o meu quarto, pois entendia que eu sofria de alguma coisa. Afastou-se por um instante para me deixar ir ao toalete e lá, quando estava só, ela voltou. Meus gritos atraíram meu pai que chamou o nosso médico, porque ele não via nada. E quando esse bom homem chegou, procurou acalmar-me um pouco, ministrando-me quinze gotas de ópio que me fizeram dormir.

Eis, caro senhor, a primeira visita de 'Noula'. E depois dessa ocasião, 'Noula' tornou-se cada vez mais distinta para mim, sobretudo quando enfraqueci, porque a tristeza de minha vida influiu danosamente no meu estado de saúde. Fiquei anêmica e fraca, enquanto que 'Noula' era bem forte e de bom aspecto.

Interrompo aqui a interessante narração de onde extraí o incidente que se acaba de ler. O que se segue não entra, a dizer a verdade, no quadro do assunto tratado. Acrescentarei apenas que a dama de que falei, na esperança de que o coronel de Rochas pudesse livrá-la dessa forma obsedante, partiu para a França, mas, infelizmente, chegando a Varsóvia, ficou doente e faleceu.

Do conjunto do incidente exposto, nota-se que o cavalo viu a figura de 'Noula' antes da moça e que a aparição dela exercera imediatamente uma influência tranquilizante sobre o animal. Ora, como esse efeito é diametralmente oposto ao que determina de ordinário a visão de um espírito sobre os animais, é preciso então deduzir que o fato se produziu de acordo com a vontade de 'Noula', que evidentemente se propôs a salvar de um grave perigo a moça com a qual estava em relação.

Mas como explicar a presença e a persistência dessa forma espiritual misteriosa? O coronel de Rochas hesita entre a hipótese de um fenômeno de 'desdobramento da percipiente' e a de um caso de 'vampirismo'. Em favor da primeira hipótese, pode-se citar a observação da narradora de que, no momento em que 'Noula' lhe aparecera, tinha experimentado uma estranha sensação de vácuo imenso, simultâneo ao sentimento de planar no ar, observação que levaria efetivamente a supor um fenômeno de 'desdobramento'. Todavia, neste caso, a percipiente devia ter visto a imagem espectral dela mesma, e não a de uma outra pessoa fisicamente muito diferente dela, pois que a percipiente era loura, delgada, pálida, ao passo que 'Noula' parecia morena, forte e corada. Levando em conta esse detalhe, a sensação de vácuo experimentada pela percipiente deveria explicar-se atribuindo-o ao fato de uma subtração de força vital do seu organismo pela entidade que se manifestava.

Quanto à hipótese de um caso de 'vampirismo', exercido por 'Noula' sobre a percipiente, o coronel de Rochas o examina levando em conta sobretudo o progressivo depauperamento da saúde da referida senhora, depauperamento que se podia racionalmente atribuir a uma subtração persistente de força vital exercida por 'Noula'. Esta última devia então ser encarada como uma entidade espiritual de baixa categoria, ainda desejosa de viver, e que, tendo encontrado, na constituição orgânico-funcional dessa senhora, uma sensitiva de quem podia subtrair força vital, dela se apoderaria a fim de encontrar a alegria de se sentir ainda ligada ao meio terrestre, revivendo a sua existência por reflexo. Conhecem-se alguns exemplos cientificamente estudados que sugerem esta hipótese, mas não se trata, até o momento, senão de casos bem raros e suscetíveis de serem explicados de outra maneira, entretanto eles não se poderiam prestar a autorizar, neste sentido, uma 'hipótese de trabalho' qualquer e ainda menos uma teoria clara e bem definida do gênero daquela que os ocultistas construíram sobre o 'vampirismo'. É melhor então suspender qualquer julgamento a este respeito, deixando a solução do problema aos que virão depois de nós.

◆ ◆ ◆

Para nove outros casos pertencentes a esta categoria, envio o leitor às seguintes obras e publicações:
Caso LIX – *Proceedings of the S.P.R.*, vol. V, p. 470 (Visual-auditivo-coletivo).
Caso LX – *Proceedings of the S.P.R.*, vol. VI, p. 247/248 (Visual--coletivo).
Caso LXI – *Proceedings of the S.P.R.*, vol. X. p. 329/330 (Visual--coletivo).
Caso LXII – *Light*, 1903, p. 141 (Auditivo-coletivo, com anterioridade do animal sobre o homem).
Caso LXIII – *Journal of the S.P.R.*, vol. III, pp. 241, 245, 246, 248, 249, 250, 252, 325, 326 e 327 (Visual-auditivo-telecinésico--coletivo, com anterioridade do animal sobre o homem, assombração).
Caso LXIV – *Journal of the S.P.R.*, vol. IV, p. 139 (Visual--coletivo).
Caso LXV – *Journal of the S.P.R.*, vol. IV, p. 215 (Visual--coletivo).
Caso LXVI – *Journal of the S.P.R.*, vol. VIII, p. 309 (Visual-coletivo).
Caso LXVII – *Journal of the S.P.R.*, vol. IX, p. 245 (Visual-coletivo-sucessivo).

ID
Quinta Categoria

Animais e Premonições de Morte

Esta categoria se subdivide em três subgrupos distintos, dos quais só o terceiro reveste-se de uma importância especial relativamente ao assunto de que tratamos.

O primeiro subgrupo se refere aos casos de manifestações premonitórias percebidas coletivamente por animais e por homens, circunstância interessante, porém, que, do nosso ponto de vista, não difere em nada das outras circunstâncias já examinadas nas categorias precedentes.

O segundo subgrupo é composto de casos nos quais os acontecimentos premonitórios se repetem tradicionalmente numa mesma família e tomam geralmente uma forma simbólica, isto é, a iminência de um acontecimento de morte é anunciada pela aparição, por exemplo, de uma dama branca (como na família alemã dos Hohenzollern) ou pelo tique-taque característico que se chamou de 'relógio da morte', ou pelo estampido de um tiro de fuzil, ou por gritos lastimosos, ou, enfim, pela aparição de uma forma animal, sempre o mesmo para uma dada família. Como se pode ver, este segundo subgrupo, no qual a forma animal não é senão um símbolo, não apresenta nada de comum com as manifestações de que nos ocupamos nesta obra, fora a simples aparência.

Enfim, o terceiro subgrupo é constituído de fatos importantes para o nosso estudo, pois se ligam às faculdades premonitórias da psique animal e consistem no fato de que os animais domésticos manifestam às vezes a faculdade de prever, a curto prazo, o trespasse de uma pessoa da família, por meio de gemidos e uivos característicos. Esta faculdade de várias espécies de animais é bem conhecida e os 'gemidos da morte' dos cães fazem parte da tradição de todos os povos. Tratar-se-ia então de uma faculdade semelhante à faculdade premonitória do homem, mas circunscrita em limites mais modestos.

Nestas condições, limitar-me-ei a relatar um só exemplo pertencente ao primeiro subgrupo e dois outros, muito curtos, pertencentes ao segundo limitando-me a desenvolver, de uma maneira adequada, o assunto do terceiro subgrupo.

Primeiro Subgrupo
Manifestações premonitórias de morte percebidas coletivamente por homens e por animais

Caso LXVIII – (Auditivo-coletivo) – Este caso foi narrado pela sra. Sidgwick na sua obra sobre as premonições (*Proceedings of the S.P.R.*, vol. V, pp. 307/8) e recolhido e estudado pelo sr. Myers em abril de 1888.

Conta a sra. Cowland-Trevalor o seguinte:

> Certa noite do mês de junho de 1863, em nossa residência no vicariato de Weeford (Staffordshire), minha irmã e eu fomos repentinamente despertadas por lamentoso uivo. Percorremos todos os recantos da casa que se elevava, isolada, no meio do campo, sem nada descobrir. Nesta primeira circunstância, nem a nossa mãe nem os criados foram despertados pelo uivo, mas, ao contrário, fomos encontrar o nosso cachorro buldogue com o focinho metido debaixo de uma pilha de lenha, tremendo de medo. No dia 27 do mesmo mês de junho, falecia a nossa mãe.
>
> O segundo caso foi muito mais impressionante e se produziu no mesmo vicariato em agosto de 1879. Havia já algum tempo que o nosso pai estava enfermo, mas as suas condições de saúde permaneciam estacionárias e, no domingo, dia 31 de agosto, ele ainda oficiava na igreja, embora fosse morrer nove dias depois. A família era, nessa época, composta de nosso pai, minha irmã, meu irmão, de mim, com dois criados e ainda de uma camareira. Dormíamos todos em quartos separados, distribuídos em diferentes partes da casa, que, para um presbitério, era muito vasta.
>
> Era uma noite calma e serena dos últimos dias do mês de agosto. Não havia nenhuma via férrea nos arredores e casas na vizinhança, nem

ruas que podiam ser percorridas por transeuntes retardados. Em suma, o silêncio era completo e a família estava mergulhada em sono, quando, entre meia-noite e meia-noite e quinze, fomos todos acordados, menos nosso pai, por súbitos uivos, desesperados e terríveis, com uma tonalidade diferente de qualquer voz humana e semelhante à precedentemente ouvida por ocasião da morte de nossa mãe, porém infinitamente mais intensa. Provinham eles do corredor conducente ao quarto de nosso genitor. Minha irmã e eu pulamos da cama (ninguém poderia dormir com tal barulho), acendemos uma vela e fomos para o corredor sem pensar mesmo em nos vestir e lá encontramos meu irmão e os três empregados, todos aterrorizados como nós ambas. Embora a noite fosse muito calma, esses uivos desesperados eram acompanhados de golpes de vento que pareciam propagá-los ao longe e poder-se-ia dizer que saíam do teto. Persistiam durante mais de um minuto para sumir, em seguida, através de uma janela.

Uma estranha circunstância se liga a esse acontecimento: os nossos três cães, que dormiam no meu quarto e de minha irmã, correram logo para se agacharem nos cantos, com o pelo eriçado no dorso. O buldogue se escondera debaixo da cama e, como eu não conseguisse fazê-lo sair de lá, chamando-o, tive que tirá-lo à força, verificando que estava tomado por um tremor convulsivo.

Corremos para o quarto de nosso pai, onde verificamos que ele dormia tranquilamente. No dia seguinte, com as indispensáveis precauções, fizemos alusão, na sua presença, ao acontecimento da noite, o que nos permitiu verificar que ele não havia ouvido nada. Ora, como era impossível dormir um sono comum quando ressoavam esses uivos atrozes, é preciso supor que só não ressoavam para ele. Cerca de quinze dias após, ou mais precisamente a 9 de setembro, nosso pai expirava.

E eis o terceiro caso: em 1885, eu me casava e ia morar em Firs (Bromyard), onde vivia com a minha irmã, a sra. Gardiner. Meu irmão morava a cinco milhas de distância e gozava então de perfeita saúde. Certa noite, em meados de maio, minha irmã e eu, a doméstica Emily Corbett e os outros criados (meu marido estava ausente), ouvimos novamente os conhecidos uivos desesperados, ainda que menos terríveis que da última vez. Descemos das nossas camas e vistoriamos a casa, sem nada encontrar. No dia 26 de maio de 1885, meu irmão falecia.

O quarto caso se deu no fim de agosto de 1885. Eu mesma, Emily Corbett e os outros criados tornamos a escutar os uivos, entretanto, como a nossa morada não era isolada, assim como o presbitério de Weesford, e os uivos não eram tão fortes como naquela ocasião, tive a ideia de que eles poderiam provir de algum pedestre, embora não pudesse ocultar certa inquietação a respeito de minha irmã, a sra. Gardiner, que, no momento, passava mal. Ao contrário, nada sucedeu à sra. Gardiner, que vive até hoje, porém uma outra das minhas irmãs, a srta. Annie Cowpland, que estava de perfeita saúde no instante em que os uivos se fizeram ouvir, falecia uma semana depois de difteria.

Sra. Cowpland-Trelaor,
sra. Cowpland-Gardiner, Emily Corbett

Analisemos brevemente este interessante caso, estudado por Myers. Como disse, do ponto de vista da classificação, ele não tem nenhuma importância especial, sendo igual aos casos narrados na quarta categoria, fora a circunstância de que aqui não se trata mais de visões coletivas de espíritos, mas de percepção de sons de natureza supranormal. Recordo a este respeito que o fato em si, de prenúncio de morte, transmitido aqui sob a forma de uivos desesperados, se explica pelas idiossincrasias pessoais próprias aos sensitivos aos quais a mensagem é endereçada, isto é, que, ordinariamente, a forma de realização dos fenômenos premonitórios, assim como todo fenômeno supranormal, não procura senão 'a via de menor resistência' percorrida pela mensagem para chegar, ou do além, ou dos refolhos da subconsciência, até a consciência dos sensitivos. Isto, naturalmente, se liga às manifestações de ordem subjetiva que constituem a grande maioria dos casos de realização inteligente, ao passo que, no caso da aparição de espíritos ou de percepções fônicas de natureza objetiva, o fato da realização deles não dependeria mais de idiossincrasias dos percipientes, porém da presença de um sensitivo fornecendo fluidos e da força da entidade que se manifesta.

Ora, faço notar que, no caso que acabo de expor, há a circunstância de animais que perceberam, ao mesmo tempo que seres humanos, o barulho dos uivos premonitórios, circunstância que levaria a supor que se tratava, dessa vez, de sons objetivos. Neste caso, a circunstância do pai enfermo, que nada ouvira (porque ele não 'devia' ouvir) teria que ser explicada supondo-se que ele se achava então mergulhado em sono sonambúlico.

Segundo Subgrupo
Aparições de animais sob forma simbólico-premonitória

Assim, como tivemos ocasião de verificar, as formas de animais, que têm estritamente função de símbolo, não pertencem à categoria de manifestações de que nos ocupamos nesta obra, mas à de "Simbolismo nas manifestações metapsíquicas em geral", assunto de que trarei numa outra monografia especial. Nessas ocasiões, a forma animal, segundo toda verossimilhança, não representa senão uma projeção alucinatória de uma ideia pensada e transmitida intencionalmente pelo agente telepatizante e isso de acordo com a circunstância de que, no meio familiar, existia uma tradição segundo a qual a aparição de uma forma animal especial equivale a prenúncio de morte iminente na família. Por consequência, esta forma de premonições dependeria também de uma espécie de idiossincrasia que se teria perpetuado de uma geração a outra, nos membros da mesma família.

Conhecem-se exemplos de mensagens simbólico-premonitórias que, há vários séculos, se renovam, de forma idêntica, no mesmo meio familiar, porém essas mensagens são constituídas de outros simbolismos de que não tratamos aqui. Acrescento que os casos nos quais o simbolismo toma a forma de um animal são antes raros e só compreendem um pequeno número de repetições da mesma aparição. Dever-se-ia então encará-los como que episódios rudimentares de simbolismo premonitório.

Eis dois breves exemplos que resolvi citar:

Caso LXIX – (Visual) – Este caso se acha nos *Proceedings of the S.P.R.*, vol. V, p. 156. Narra a sra. E. L. Kearney:

17 de janeiro de 1892 – Meu avô estava enfermo. Descia certa tarde por uma escada interna de nosso aposento, quando percebi, no corredor, um gato estranho que caminhava em minha direção. Logo que me avistou, correu para se ocultar detrás de uma porta que dividia, em duas partes, o corredor. Essa porta estava disposta de tal modo que ficava sempre aberta. Corri imediatamente para trás dela, a fim de caçar o estranho animal, mas fiquei muito surpresa por não ver nada ali, nem nada achar no resto do aposento. Contei logo o caso à minha mãe (ela me disse, já há alguns dias, que se lembrava perfeitamente do incidente). Meu avô morreu na manhã do dia seguinte.

Isto parece tanto mais interessante se for considerado em relação a uma outra circunstância. Minha mãe me contou que, na véspera do dia da morte de seu pai, tinha ela também percebido um gato que andava ao redor da cama do doente. Tinha, como eu, tentado apanhá-lo, mas logo não viu mais nada.

Caso LXX – (Visual) – Tirado dos *Proceedings of the S.P.R.*, vol. V, p. 302. A narração é feita pela sra. Welman:

Existe no ramo materno de minha família uma tradição segundo a qual, pouco tempo antes da morte de algum dos seus membros, um grande cão negro aparece a um ou outro dos seus parentes. Certo dia do inverno de 1877, pela hora do jantar, eu descia do andar superior, com a casa iluminada e, quando me dirigia para o corredor que conduz à escada, vi, de repente, um grande cão preto que caminhava diante de mim, sem fazer ruído. Nessa semi-obscuridade, pensei que se tratasse de um dos nossos cães-pastores e chamei Laddie, mas ele não se voltou e pareceu não ter ouvido. Segui-o e experimentei uma vaga sensação de mal-estar, que se transformou em um profundo espanto, quando, chegando ao pé da escada, vi desaparecer, diante de mim, qualquer vestígio do animal, embora todas as portas estivessem fechadas. Não contei nada disso a ninguém, mas não podia deixar de pensar continuamente no que me tinha acontecido. Dois ou três dias após, recebemos da Irlanda a notícia da morte inesperada de uma tia, irmã de minha mãe, morte que ocorreu em consequência de um acidente.

Terceiro Subgrupo
Premonições de morte nas quais os animais são percipientes

Eis uma das faculdades mais curiosas e misteriosas da psique animal. Na introdução a esta categoria, já disse que ela consistia no fato de que os animais domésticos manifestam às vezes a faculdade de prever, a curto prazo, a morte de uma pessoa da família a que pertence, anunciando-a por meio de gemidos e uivos característicos. Acrescentei que esta faculdade de várias espécies de animais é muito conhecida entre as tradições dos povos, havendo também a que trata dos 'uivos da morte' dos cães. Tratar-se-ia então de uma verdadeira faculdade 'premonitória' dos animais, embora seja mais limitada que a faculdade correspondente manifestada esporadicamente no homem.

Caso LXXI – O dr. Gustave Geley, que foi o primeiro diretor do Instituto Metapsíquico Internacional de Paris e autor de obras metapsíquicas que se tornaram clássicas, resolveu fazer uma experiência pessoal destas faculdades supranormais dos animais e a descreve assim no seu livro *De l'inconscient au conscient*, p. 192:

> Certa noite eu velava, na qualidade de médico de uma jovem que, atingida, em plena saúde, no mesmo dia, por um mal fulminante, estava em agonia. A enferma estava em estertores. Era uma hora da madrugada (a morte aconteceu de dia).
>
> Repentinamente, no jardim que circundava a casa, soaram os 'uivos da morte' soltados pelo cachorro da casa. Era um som lúgubre e lastimoso de uma única nota, decrescendo até se extinguir docemente e muito lentamente.
>
> Depois de um silêncio de alguns segundos, o lamento se repetiu, idêntico e monótono, infinitamente triste. A enferma teve um momento de consciência e nos olhamos ansiosos. Ela havia compreendido. O marido saiu às pressas para fazer calar o animal. À sua aproximação, ele se ocultou e foi impossível, no meio da noite, achá-lo. Logo que o marido retornou, o lamento recomeçou e foi, assim, durante mais de uma hora, até que o cão pôde ser apanhado e levado para longe.

O que devemos pensar de tais manifestações? O narrador deste caso foi um cientista muito distinto, a autenticidade do fato é incontestável, os uivos do cão foram evidentemente característicos, a premonição de morte se verificou, de modo que não se pode então deixar de concluir que o animal teve realmente um pressentimento da morte iminente de pessoa da casa dele, a menos que se prefira explicar os fatos pela hipótese das 'coincidências fortuitas'. Neste caso, faltaria explicar por que os cães emitem, em tais circunstâncias uivos absolutamente característicos que o narrador descreveu com tanta precisão. Aliás se a hipótese das 'coincidências fortuitas' pode ser ainda sustentada em um caso isolado, ela não se manteria mais se as manifestações desta natureza se realizarem muitas vezes. Ora, é indubitável que elas se produzem, efetivamente, com frequência, embora, por causa inclusive da natureza dos acontecimentos e porque esses se realizem em meios estranhos às pesquisas metapsíquicas, só cheguem raramente às revistas especializadas.

Caso LXXII – Este caso está consignado na obra de Robert Dale Owen intitulada *The debatable* (*Região em debate*), p. 282. O autor escreve que, há mais de trinta anos, é amigo íntimo da família na qual se deu o fato que ia expor, depois do que prossegue, dizendo:

> A srta. Haas, que contava então vinte anos de idade, tinha um irmãozinho de dois anos, o qual possuía um pequeno cão, seu companheiro constante, de quem gostava muito e que lhe era paralelamente muito ligado. Dir-se-ia que olhava por ele como um pai. Certo dia, quando o menino andava de lá para cá, no salão, tropeçou com um pé no carpete e caiu. Sua irmã acorreu, levantando-o e lhe fez carinhos, conseguindo diminuir o seu choro, entretanto, na hora do jantar, os pais observaram que ele estendia a mão esquerda em vez da direita e verificaram que não podia mesmo mover esta última. Fizeram-lhe fricções de álcool alcanforado no braço enfermo, sem que a criança se lastimasse do que quer que fosse e a levaram de novo para a mesa. Subitamente o cãozinho se aproximou da cadeira da criança e se pôs a uivar de modo lastimoso e não habitual. Foi levado de lá, mas continuou a uivar na peça contígua. Então foi tocado da casa e levado para o jardim, quando se pôs diante da janela do quarto do menino e recomeçou os seus uivos, com curtos intervalos de repetição, continuando assim durante a noite inteira, apesar das tentativas feitas para afastá-lo de lá.
>
> Na tarde do mesmo dia, a criança caiu gravemente enferma em consequência da queda e faleceu a uma hora da madrugada. Enquanto ela ainda estava viva, os uivos infinitamente tristes do animal se renovavam a curtos intervalos, porém, desde que ela expirou, o cãozinho parou com eles, para não mais recomeçá-los, nem então, nem depois.

No primeiro caso que citei, a premonição de morte diz respeito a um moribundo cujos familiares não fizeram nenhuma alusão ao começo da doença. No segundo caso, ao contrário, a premonição de morte se refere a uma criança que parecia sã e cujo aspecto não deixava entrever consequência fatal da queda tida algumas horas antes, de modo que a família não se preocupou com o fato. Segue-se daí que o pressentimento de morte manifestado pelo animal parece, nesta circunstância, ainda mais notável que o precedente. No primeiro caso, poder-se-ia talvez objetar que o cãozinho havia experimentado, telepaticamente, a influência do pensamento dos familiares do moribundo. Já no segundo, esta objeção é inteiramente excluída.

Casos LXXIII, LXXIV e LXXV – A sra. Cárita Borderieux, então diretora da revista *Psychical* publicou na *Revue Scientifique et Morale du Spiritisme* (1918, p. 136), um artigo sobre os pressentimentos entre os animais, do qual extraio três casos que ela mesma recolheu:

> 1º caso – Uma das minhas amigas morava em Neuilly-sur-Seine, onde morreu de tuberculose. Sua agonia foi perturbada pelos sinistros uivos de um cachorro da vizinhança. Os pais da moribunda, desesperados por não poderem fazer calar esse animal, habitualmente calmo, deram ordem para lhe levarem um naco de carne que se acabara de preparar. Trabalho inútil, pois o cachorro, desprezando a suculenta refeição, continuou uivando até a morte.
>
> 2º caso – O sr. Marcel Mangin, pintor e psiquista, falecido em 1915, possuía um cão dotado da faculdade de pressentir a morte das pessoas da família. Antes mesmo de a doença vir a causar-lhe preocupações, o animal se punha a uivar de modo estranho, fazendo com que se notasse essa previsão, que era de espantar.
>
> O sr. Marcel Mangin morreu subitamente de uma embolia. Ora, no dia anterior, quando nada fazia prever um fim tão próximo para o artista, o cão se pôs a uivar de maneira significativa. – Que quer dizer este danado de animal? – perguntavam-se o sr. e sra. Mangin. No dia seguinte o pintor morria.
>
> Perplexa e injusta também, é preciso dizer, a sra. Mangin mandou matar o cão fatal.
>
> 3º caso – Madame Camille, a célebre vidente de Nancy, contou-me que ela possuía uma cadelinha e que o seu marido estava enfermo há muito, mas, embora o seu estado de saúde não apresentasse nenhuma piora, o animalzinho se metera subitamente debaixo do sofá, em que ele repousava, e se pusera a uivar lamentosamente.
>
> – Que tem este animal?, perguntou o doente. Até parece que anuncia a minha morte...
>
> Acalmou-se o enfermo e afastou-se o animal, mas, no dia seguinte, o marido de madame Camille expirava.

Dos três casos citados pela sra. Borderieux, o que diz respeito ao falecimento do sr. Marcel Mangin, o conhecido psiquista, é o mais notável, primeiro, porque contém a circunstância análoga à do caso anterior – do cão que começou os 'uivos da morte' quando o seu dono gozava de excelente saúde e nada fazia prever a iminência do seu fim – em segundo lugar, porque se ficou sabendo, pela narração, que o mesmo cão tinha, já em outras ocasiões e da mesma maneira, anunciado iminência de morte na família.

No primeiro dos três casos citados, só se pode achar característico o incidente do cão que recusa um naco de suculenta carne, preferindo uivar até a morte do agonizante. Dir-se-ia que, nestas circunstâncias, os animais se acham em condições de meio sonambulismo, no qual o automatismo subconsciente, dominando o campo de sua consciência, os torna insensíveis a algumas tentações dos sentidos, que seriam para eles irresistíveis, no estado normal.

Caso LXXVI – O sr. William Ford, residente em Reading, na Inglaterra, escreveu, nos seguintes termos, à *Light* (1921, p. 569):

> Na minha mocidade, eu possuía um cão-pastor de raça cruzada e cauda curta, que fora destinado a reunir e guiar os carneiros e os bois. Havíamos passado juntos bons dias felizes na fazenda paterna, mas chegou o dia em que os negócios nos obrigaram a deixar a casa e o meu cão foi dado a um velho fazendeiro que residia perto de Maidstone. Logo, ele e o cão se tornaram amigos inseparáveis e, onde o homem fosse, o animal o seguia, amizade enternecedora que durou três anos.
>
> Certa manhã, o velho fazendeiro não se levantou na hora habitual e seu filho foi ver o que podia significar essa infração aos costumes paternais. O velho, com a maior calma, anunciou que a sua hora era chegada e pediu que lhe trouxesse o cão, que ele queria ver uma vez ainda, antes de falecer.
>
> O filho tentou persuadir seu pai dessa afirmação, que, para ele, era o produto de uma lúgubre fantasia, mas, como sua insistência contrariasse o velho, foi buscar o cão e o levou para o pai. Logo que o animal entrou no quarto, pulou para cima da cama e começou a agradar o velho dono, para, pouco depois, se retirar para um canto e começar a uivar lamentosamente. O animal foi levado para fora, acariciado, mas nada conseguia confortá-lo ou fazê-lo calar. Acabou por se retirar para o seu canil e entregar-se a um abatimento tão profundo e tão desesperado que morreu às oito e meia da noite. Seu velho dono o seguiu na morte, falecendo às dez horas.
>
> Dez anos depois, achava-me sentado num centro experimental particular e, num dado momento, o médium teve um sobressalto. Indagado sobre o que havia visto, respondeu: "Pareceu-me ver um urso, o que não era senão um cão. Surgiu, no centro, de um pulo, apoiou as patas sobre os joelhos do sr. Ford e ele o acariciou." Fez

em seguida uma descrição minuciosa do cão que aparecera, a qual correspondia inteiramente à do meu cão-pastor. O médium conclui, dizendo: "Tinha um focinho que parecia sorrir." Esse detalhe se adaptava bem ao animal e eu não duvido de modo algum de sua identidade.

Neste caso, a premonição de morte por parte do animal é menos interessante do que nos casos precedentes, pois que ela se produziu apenas meio dia antes do falecimento, quando o velho já sabia que estava para morrer. Essas circunstâncias não impedem, entretanto, que houvesse, integralmente, como nos outros casos, uma percepção de morte iminente pelo cão. Há, além disso, o episódio emocionante da morte do animal em consequência de sua profunda dor.

O último incidente da aparição do animal durante uma sessão mediúnica, dez anos depois de sua morte, transforma esta narração em um caso de transição entre a presente categoria e a seguinte, na qual tratamos dos casos de aparições identificadas de formas de animais.

No meu conjunto de fatos, não se encontram outros exemplos de premonição de morte por parte dos animais, o que não significa, de modo algum, que as manifestações desta espécie sejam raras, mas apenas que se negligenciou, até aqui, de as reunir. O que contribui para demonstrar isso é que, quando se faz alusão aos fatos desta natureza nos meios populares, provoca-se sempre narrações de casos semelhantes. Essas, infelizmente, são feitas de uma maneira tão vaga ou passaram por tantas bocas que não se pode acolhê-las numa classificação científica.

Resulta daí que, embora tudo contribua para provar a realidade das manifestações em questão, seria, no entanto, prematuro comentá-las, visto que o exame delas não será oportuno senão quando se chegar a acumular, em quantidade suficiente, os materiais brutos dos fatos, de maneira a poder analisá-los, compará-los e classificá-los de acordo com um método rigorosamente científico.

Sexta Categoria

Animais e Fenômenos de Assombração

Esta categoria é muito abundante em exemplos interessantes e instrutivos. Com efeito, depois de uma triagem rigorosa feita na minha coleção de fatos, achei ainda trinta e nove casos à minha disposição, casos dos quais me limitarei, naturalmente, a relatar somente uma parte, enviando o leitor, para os outros, às publicações que os contêm.

Para maior clareza, subdividi estes casos em dois subgrupos. No primeiro, examino os fatos nos quais os animais deram sinais certos de perceber, coletivamente com o homem, manifestações de assombração e, no segundo, trato de casos de aparições de formas de animais em lugares assombrados.

Primeiro Subgrupo
Manifestações de assombração percebidas por animais

Resumo, primeiramente, alguns casos que, sendo constituídos de curtos incidentes episódicos espalhados em longas narrativas, não podem ainda ser relatados por inteiro. Começo por três casos históricos que extraio de um artigo de *sir* Alfred Russell Wallace, intitulado *Étude sur les apparitions* e estampado nos *Annales des Sciences Psychiques*, 1891, pp. 351/52:

Caso LXXVII – (Auditivo, com anterioridade do animal sobre o homem):

Em sua narrativa sobre os fenômenos que se deram no curato de Epworth, o eminente John Wesley (fundador da seita dos metodistas), depois de ter descrito estranhos ruídos semelhantes aos que fariam objetos de ferro e de vidro atirados por terra, acrescenta: "Pouco depois, o nosso grande buldogue Masheff correu para se refugiar entre o sr. e a sra. Wesley. Enquanto duraram os ruídos, ele latia e saltava, mordendo o ar de um lado e de outro, e isto antes que alguém no aposento ouvisse qualquer coisa, mas depois de dois ou três dias, ele já tremia e se ia rastejando antes que os ruídos recomeçassem. A família sabia, a este sinal, o que iria acontecer e isto não falhava nunca"...

Caso LXXVIII – (Auditivo-coletivo):

Durante os fenômenos sucedidos no cemitério de Arensburg, na ilha de Oesel, onde caixões foram virados dentro de abóbadas fechadas, fatos devidamente verificados por uma comissão oficial, os cavalos das pessoas que iam ao cemitério ficaram muitas vezes tão espantados e tão excitados que acabaram cobertos de suor e espuma. Algumas vezes eles se arrojavam por terra e pareciam agonizar e, apesar dos socorros que lhes levavam imediatamente, vários morreram ao cabo de um dia ou dois. Neste caso, como em tantos outros, embora a comissão fizesse uma investigação muito severa, não descobriu ali nenhuma causa natural (Robert Dale Owen em *Footfalls on the boundaries of another world*, p. 186).

Caso LXXIX – (Auditivo-coletivo):

No terrível caso de residência assombrada narrado ao sr. R. Dale Owen pela sra. S. C. Hall – ela própria testemunha dos fatos principais – vimos que o homem assombrado não pudera guardar um cão por muito tempo: não foi possível fazê-lo permanecer no aposento nem de dia nem de noite. O que ele tinha, quando a sra. S. C. Hall o conheceu, assim que os fenômenos começaram e, logo depois, fugiu e desapareceu. (*Footfalls*, p. 326).

A estes casos históricos, Wallace acrescenta três outros de datas recentes:

Caso LXXX – (Visual-coletivo):

No caso narrado pelo sr. Hudson em *Arena*, setembro de 1889, quando a dama de branco apareceu ao irmão do autor, lemos que, na terceira noite, ele viu o cão rastejar e permanecer com o olhar fixo e, em seguida, agir como se fosse perseguido por todo o aposento. Meu irmão não viu nada, porém ouviu uma espécie de silvo e o pobre do cão latia, depois procurou ocultar-se e não quis mais entrar naquele lugar.

Caso LXXXI – (Auditivo-coletivo):

Na notável narração de casa assombrada feita por um dignitário muito conhecido da igreja anglicana, que morou na referida casa por doze meses, é preciso considerar a conduta muito diferente dos cães em presença de insólitos efeitos reais ou fantasmagóricos. Quando uma tentativa de roubo foi feita no presbitério, os animais deram logo alarma e o clérigo se levantou devido aos seus ferozes latidos. Ao contrário, durante ruídos misteriosos, embora fossem muito mais fortes e inquietantes, eles absolutamente não ladraram. Foram encontrados num canto, num estado de lastimável terror. Estavam mais perturbados do que ninguém e, se não tivessem sido levados para baixo, teriam corrido para a porta do nosso quarto de dormir e teriam se agachado lá, rastejando e gemendo tanto tempo quanto lhes fosse permitido (*Proceedings of the S.P.R.*, vol. II, p. 151).

Caso LXXXII – (Auditivo-coletivo):

Numa casa assombrada de Hammersmith (*Proceedings of the S.P.R.*, vol. III, pp. 115/16), onde se ouviam ruídos de todas as espécies, inclusive o eco de passos e o som de lágrimas e de suspiros, onde se viam portas se abrindo sem qualquer causa aparente, onde, enfim, aparecia uma forma de mulher que foi sucessivamente vista por três pessoas adultas e uma menina de seis anos, o cachorro da casa percebia, por sua vez, os fenômenos. "Breve" – escreve a sra. R. – "os antigos ruídos recomeçaram em nossa pequena biblioteca. Eram sons de objetos que tombavam, janelas que se agitavam violentamente, abalos tremendos por toda a casa, enfim, da mesma maneira, a janela do meu quarto começou a se agitar ruidosamente. Entrementes, o cão uivava sem parar e o ruído das pancadas e quedas aumentava em intensidade. Deixei meu quarto e me refugiei no de Helena, onde passei o resto da noite. Na manhã do dia seguinte, o cão mostrava claramente que a visão do quarto assombrado o espantava ainda. Chamei-o para entrar comigo lá, mas ele se encolheu no chão, metendo a cauda entre as pernas.

Via-se que tinha medo de entrar lá. Eu estava só na minha casa, com Helena e a governanta."

Caso LXXXIII – (Auditivo-telecinésico-coletivo) – A propósito de uma casa assombrada em Versalhes (*Annales des Sciences Psychiques*, 1895, p. 85), o sr. H. de W. se exprime assim numa carta dirigida ao dr. Dariex:

> Ao cabo de cerca de dez minutos, como a criada nos contava os seus dissabores, um velho sofá de roldanas, colocado num canto à esquerda, se pôs em movimento e, descrevendo uma linha irregular, veio passar entre o sr. Sherwood e mim, depois voltou sobre si mesmo, cerca de um metro detrás de nós, bateu duas ou três vezes no assoalho com os pés de detrás e voltou, em linha direta, para o seu canto. Isso se passava em pleno dia e nós pudemos verificar que não havia nenhum compadrio, nem truque de qualquer espécie. O mesmo sofá fez o mesmo percurso por três vezes diferentes, tomando o cuidado – coisa estranha – de não ferir ninguém. Ao mesmo tempo, pancadas violentas se faziam ouvir no outro canto da sala, como se pedreiros estivessem trabalhando na peça vizinha que estava inteiramente aberta e completamente deserta. O amigo que nos havia levado empurrou o seu cão para o canto da sala e o animal voltou uivando, evidentemente presa de grande terror. Ele não queria mais se mexer em nenhum sentido e o seu dono foi obrigado a mantê-lo nos braços durante o tempo em que permanecemos na casa.

Caso LXXXIV – (Auditivo-coletivo) – Nos artigos publicados pelo dr. J. Morice a respeito do caso fantasmagórico do castelo de T., na Normandia, um dos casos mais interessantes e mais extraordinários que se conhecem (*Annales des Sciences Psychiques*, 1892/93, pp. 211/223 e 65/80), foi narrado o que se segue:

> Ele comprou (o sr. de X., primeiro proprietário do castelo) dois formidáveis cães de guarda que eram soltos durante a noite e nada aconteceu. Certo dia, os animais se puseram a uivar na direção de um dos maciços do jardim com uma tal persistência que o sr. de X. acreditou que assaltantes se haviam ocultado ali. Ele se armou, fez armar os seus criados, cercou o maciço e lá soltou os animais. Eles se precipitaram com furor, porém, mal ali penetraram, os seus uivos se transformaram em latidos dolorosos, como os dos cavalos recebendo um corretivo. Depois fugiram com a cauda baixa e não se conseguiu que voltassem

para o lugar. Os homens entraram então no maciço, revistaram em todos os sentidos e não acharam lá absolutamente nada (pp. 82/83).

Caso LXXXV – (Visual-coletivo, com anterioridade do animal sobre o homem) – Na relação muito bem documentada que a sra. R. C. Morton forneceu à *Society for Psychical Research*, a respeito de uma casa assombrada em que ela morava e na qual aparecia, entre outras coisas, uma forma de mulher de preto, ela fala assim da atitude do seu cãozinho *fox-terrier*:

> Lembro-me de o ter visto, por duas vezes diversas, correr para o fundo da escada do vestíbulo, sacudindo alegremente a cauda e se fazendo importante, como os cães têm o hábito de fazer quando esperam carícias. Ele para ali correu com uma expressão de alegria, precisamente como se uma pessoa se achasse naquele lugar, mas logo o vimos escapar com toda pressa, de cauda entre as pernas, e refugiar-se, todo trêmulo, debaixo do sofá. Nossa impressão firme é de que vira um fantasma (*Proceedings*, vol. VIII, p. 323).

Pelos dois primeiros casos históricos narrados aqui, assim como pelo caso LXXX, pôde-se ver que os animais percebem manifestações metapsíquicas que escapam às pessoas presentes, prerrogativa animal de que já houve um exemplo no caso LIII e de que falamos nos comentários ao caso LXI. Um pouco mais adiante, relataremos um outro fato notável que aconteceu à sra. d'Espérance (caso XCV). Nos comentários ao caso LVI, onde se tratou, caso se recorde dele, de manifestações experimentais com início de materialização de espírito, fiz notar que o fato de que os animais pareciam perceber a presença de uma forma espiritual quando mesmo as pessoas presentes não percebiam nada podia ser explicado supondo-se que os olhos de certos animais seriam sensíveis aos raios ultravioletas (como a chapa fotográfica) e que, em consequência, eles chegariam a discernir com os 'olhos corporais' o que era invisível aos olhos humanos. Entretanto, esta hipótese – justa para as circunstâncias nas quais a havia proposto – não parece aplicável aos casos que examinamos agora e nos quais se trata de fenômenos, não objetivos, mas subjetivos. Nestas condições, é preciso concluir que os animais se mostram efetivamente mais bem-dotados que o homem, no fato de sensibilidade subliminal, nas manifestações supranormais. Os casos em que os animais se mostram refratários à produção de fenômenos psíquicos percebidos pelo homem são inteiramente raros, ao passo que os homens refratários a essas mesmas manifestações constituem a grande maioria. É difícil conhecer a causa dessa superioridade da suscetibilidade animal às percepções da atividade subconsciente ou espiritual, mas, como essa prerrogativa parece existir, em condições análogas, entre os povos selvagens, entre os quais as faculdades 'telepática' e 'telestésica' são bem frequentes, seria preciso deduzir dela que a causa consiste ou na mentalidade ainda virgem deles, isenta de prevenções habituais de um meio contrário ao exercício das faculdades subconscientes, ou na circunstância de que a atividade psíquica deles não é continuamente gasta pelos cuidados e as preocupações da vida civilizada. A justeza destas observações é demonstrada pelo fato, muito conhecido, de que, entre os sensitivos clarividentes, basta uma contrariedade passageira ou uma ligeira condição de ansiedade ou de preocupação para neutralizar completamente as suas faculdades supranormais.

Caso LXXXVI – (Visual-coletivo) – Eu o extraio do *Journal of the S.P.R.*, vol. XIV, p. 378. O rev. H. Northcote envia um relatório sobre um caso de assombração estudado por ele mesmo e que se produziu na residência de uma família de amigos seus. Tratava-se de um fantasma de homem que aparecia constantemente no mesmo quarto, na mesma hora de sempre e que foi visto, independentemente, por várias pessoas, das quais uma não sabia nada do que a outra havia visto. Certo dia, a família Clemsford, que morava nessa casa e ali deu hospedagem à srta. Denton, a instalou no quarto assombrado. A srta. Denton conta o seguinte:

> Na noite do mesmo dia de minha chegada fui deitar-me bastante cansada e dormi muito mal... Não liguei muita importância a isso, atribuindo a coisa à minha excessiva fadiga e à mudança de cama, mas, na segunda noite, já me aconteceu a mesma coisa e, pelas três horas, fiquei surpresa ao perceber uma massa opaca, levemente luminosa, ao pé da cama. Pensei, a princípio, que se tratava de um reflexo de luz proveniente da janela, mas essa massa tomou gradualmente uma forma e acabou por transformar-se em um homem de muito alto porte que permaneceu imóvel durante um certo tempo – que me pareceu muito longo, embora pudesse tratar-se de apenas alguns segundos – para atravessar logo em seguida o quarto e desaparecer num armário. Na terceira noite assisti à mesma manifestação e, dessa vez, com grande espanto meu, o que fez com que, no dia seguinte, fosse pedir a um dos meus amigos para deixar o cão dele dormir no meu quarto, porque eu havia percebido risos. Meu

desejo foi logo satisfeito e, no quarto dia, já fui deitar-me animada e tranquila. O cão se acomodou no leitinho que eu lhe arrumara no sofá e não tardei a dormir profundamente.

Lá pelas duas horas fui acordada pelos gemidos do animal e observei que se tinha levantado e girava em volta do quarto, sempre gemendo. Ao mesmo tempo, vislumbrei ao pé do leito o fantasma do meu visitante noturno. Presa novamente de um grande espanto, pus-me a gritar-lhe: "Vá embora! Suma!"

Uma outra noite, depois de cerca das dezoito horas, quando me achava na casa dos Clemsford, o fantasma me apareceu como se fosse de fogo, tal como uma figura aclarada por transparência, na qual os traços do rosto e as principais linhas do corpo sobressaíam com sinistro clarão. Meu pavor foi tal que me decidi a falar, não querendo absolutamente ficar no tal quarto. Conduzi a conversa para o assunto, no almoço, perguntando se alguém da casa já havia visto um fantasma no quarto em que eu dormia e, ao mesmo tempo, descrevi a figura que percebera. Minha surpresa foi muito forte quando me disseram que a minha descrição correspondia exatamente à aparência do fantasma visto no referido quarto e na mesma hora pelo sr. e sra. Clemsford. Naturalmente que não quis mais dormir no tal quarto...

Neste exemplo, a agitação e o espanto do cão podem parecer concludentes do ponto de vista que nos interessa especialmente, se os compara à mímica animal, infinitamente mais demonstrativa, em tantos outros períodos do mesmo gênero. Entretanto, aqui neste caso, há a circunstância eloquente do animal que é presa, de repente, de pavor, às duas horas da madrugada, isto é, na hora exata em que se produzia constantemente a manifestação de assombração no lugar. Se se considerar esta circunstância, não parece logicamente possível evitar a conclusão de que o animal bem que havia percebido o fantasma manifestado no quarto, naquele momento. A circunstância de que ele ali se achava sem conhecimento da srta. Denton, adormecida, aumenta de valor probativo a manifestação, da qual o animal foi o primeiro percipiente.

Caso LXXXVII – (Visual-coletivo) – Este caso apareceu no *American Journal of the S.P.R.* (1910, p. 45). Faz parte de uma pequena coleção de fatos examinados por um ministro da igreja episcopal. O prof. Hyslop diz que não se podem citar nomes dos percipientes que são, em grande parte, pessoas bem conhecidas e que não desejam dar seus nomes. O pastor, que faz a narrativa, relata o seguinte fato:

A vila do dr. G., residente na 5ª Avenida, rua 13, em Nova Iorque, fica em Fishkill, no rio Hudson. A vinte de outubro a srta. F. G., filha dele, tinha ido a Nova Iorque, aonde chegara a uma hora avançada da noite. O cocheiro fora esperá-la na estação da estrada de ferro com uma charrete e um excelente cavalo. A noite estava muito sombria e a carruagem não se achava provida de lanternas. O caminho era fácil e o cavalo o percorria tranquilamente. Colinas cercadas de árvores aumentavam ainda a escuridão, quando, em um dado momento, o cavalo começou a escoucear violentamente, enquanto o cocheiro não sabia para que santo apelar. A srta. F. G. olhou e viu uma comprida coluna esbranquiçada, semelhante ao nevoeiro, que, depois de ter-se elevado no caminho, em face do cavalo, passou ao lado desse, roçou no cotovelo da moça e desapareceu por cima dos seus ombros. No momento em que a aparição lhe tocou no cotovelo, ela experimentou uma sensação de frio e teve um estremecimento. Em todo o caso a sua mente era muito positiva para acolher uma explicação supranormal do acontecimento, todavia, dirigindo-se ao cocheiro, lhe disse: "Presta atenção, Michel. Devemos ter passado por cima de alguma coisa. Desça e veja o que sucedeu". Mas o cocheiro discordou e se mostrou inquieto, declarando que não se tratava, absolutamente, de um acidente material e sim, de um encontro com algum fantasma. E acrescentou: "A sra. e eu podemos ter-nos enganado, mas não se pode dizer outro tanto do cavalo. O pobre do animal sua e treme nos varaus". Finalmente decidiu descer e olhar, mas não viu nada no chão, pondo-se a caminho. A srta. F. G. ordenou ao cocheiro que não falasse o que se tinha passado a ninguém, com receio de assustar os criados.

 Alguns dias mais tarde, ela contou o fato a um senhor que viera visitá-la e que morava há muito em Fishkill, o qual, depois de ouvi-la com vivo interesse, disse: "A sra. viu o fantasma de Verplanck", e forneceu as seguintes explicações: "No tempo da geração anterior à presente, a srta. Verplanck, herdeira de uma grande família dinamarquesa residente aqui, estava enamorada de um jovem advogado de Nova Iorque, mas a sua família desejava que ela se casasse de preferência com um seu primo chamado Samuel Verplanck. No dia vinte de outubro, o jovem advogado devia procurá-la, mas uma violenta tempestade estourou naquela ocasião e ele não apareceu. Na manhã seguinte, a srta. Verplanck anunciou: 'Ele foi assassinado ontem à noite'. Alguns minutos após, espalhou-se a notícia de que havia sido descoberto o seu cadáver com um punhal mergulhado no coração. Ao mesmo tempo, Samuel Verplanck desaparecia e não era visto em lugar algum. Passado bem pouco tempo começou-se a dizer que, na noite de vinte de outubro, Samuel Verplanck aparecia no lugar do crime. O que aconteceu à srta. F. G. naquela noite de vinte de outubro confirmaria essa tradição.

Ainda neste caso, o animal teria sido o primeiro percipiente, circunstância que mostra sempre melhor quão admiráveis sensitivos são os animais superiores.

Este caso é notável por si mesmo, sem apresentar nada de especial, pois se conhecem centenas de fatos análogos ligados a uma tradição de crimes consumados no local da assombração, assim como já fiz observar numa obra que consagrei a essas manifestações.

Caso LXXXVIII – (Visual-coletivo) – O conhecido sociólogo prof. Andrew Lang conta o seguinte fato que sucedeu numa família de amigos seus. Transcrevo da *Light* (1912, p. 111) o texto que se segue:

> Em um dos subúrbios de Londres há uma mansão especial, bem antiga, construída inteiramente de tijolos e cercada de um jardim, a qual conheci muito bem. Quando os meus amigos o sr. e sra. Rotherhams foram ali residir, a mansão era inteiramente assombrada. Entre outras coisas, quando a sra. Rotherhams se aproximava de uma porta, esta se abria espontaneamente diante dela. Algumas vezes sentia-se puxada pelos cabelos por mãos invisíveis, barulhos noturnos, estranhos e inexplicáveis, tais como de baixelas se entrechocando, de móveis arrastados, perturbavam sem parar o sono dos moradores dela.
>
> Certa noite em que o sr. Rotherhams se achava ausente, sua esposa foi deitar-se com o seu bebê, no quarto acima da sala de jantar, tendo antes fechado nela o seu cãozinho da raça *collie*. Ela observou que, quando começou a ouvir os ruídos dos móveis arrastados e das baixelas se entrechocando, o animal começou a uivar lastimosamente. A senhora não teve coragem de descer ao andar inferior a fim de soltá-lo, mas, quando, de manhã, abriu a porta do aposento assombrado, o cãozinho foi ao seu encontro com a cauda entre as pernas. Ela verificou que os móveis e as baixelas estavam perfeitamente nos seus lugares.
>
> Outro dia, essa mesma senhora estava ocupada em ensinar uma lição à sua filhinha na sala de jantar, sentada defronte da porta. Em dado momento, tendo tocado a sineta para chamar a camareira, viu uma porta abrir-se e entrar uma mulher estranhamente vestida com um roupão cinza-claro e o rosto da mesma cor.

Um outro dia, quando o sr. Rotherhams se tinha demorado a fumar na mesma sala, ele viu o animal levantar-se com um pulo, o pelo eriçado nas costas, e rosnar surdamente voltado para a porta. Olhando nessa direção, ele viu a porta abrir-se e entrar a mulher vestida de uma cor parecendo azul. Levantou-se para sair ao encontro dela, porém não viu mais nada.

Se tal fantasma tinha um objetivo, este seria o de obrigar os novos ocupantes da casa a se mudarem, mas eles permaneceram intrepidamente no lugar e as manifestações foram enfraquecendo pouco a pouco até cessarem definitivamente. Os membros da família são pessoas sãs e robustas e contam entre os íntimos amigos meus.

Prof. Andrew Lang

No caso acima, acham-se dois fatos concernentes a percepções animais. No primeiro, de natureza puramente auditiva, o cão, encerrado na sala assombrada, mostra logo, por meio de uivos dolorosos, que ele percebe manifestações ruidosas que os outros ouvem de fora; no segundo, o animal é o primeiro a perceber o fantasma da 'dama azul'. Não resta então nenhuma dúvida sobre a participação do animal em manifestações de assombração às quais estão sujeitas coletivamente seus donos.

Caso LXXXIX – (Auditivo-coletivo) – Na bem conhecida obra do dr. Edward Binns, *Anatomy of sleep* (*Anatomia do sono*, p. 479), encontra-se o seguinte fato comunicado ao autor por *lord* Stanhope, amigo íntimo do protagonista do acontecimento, sr. G. De Steigner, que conta:

Na minha mocidade, quando eu era oficial do exército dinamarquês, ocupava já há algum tempo o alojamento que me fora designado, sem perceber nada de especial. Meu quarto estava colocado entre dois outros aposentos, servindo-me um de pequeno salão e o outro de quarto de dormir de meu ordenança e comunicando-se as três peças entre si.

Certa noite em que estava deitado sem dormir, ouvi um ruído de passos que iam e vinham no quarto e que pareciam ser de um homem de chinelas. Esse ruído inexplicável durou longo tempo.

Chegada a manhã, perguntei ao meu ordenança se ele não havia percebido nada durante a noite e o mesmo me respondeu: "Nada, a não ser que a uma hora avançada da noite o senhor passeou no seu quarto". Assegurei-lhe de que não havia deixado o leito e, como ele permanecesse incrédulo, lhe ordenei que, se o ruído de passos se repetisse, me chamasse.

Na noite seguinte eu o chamei sob o pretexto de lhe pedir uma vela e procurei saber se ele não vira nada. Respondeu-me negativamente, acrescentando, todavia, que ouvira um ruído de passos como se alguém se aproximasse dele para se afastar em seguida na direção oposta.

Tinha no meu quarto três animais: um cão, uma gatinha e um canário, que reagiam todos de um modo característico quando o ruído de passos começava. O cão pulava imediatamente para cima de minha cama e se encolhia junto de mim, tremendo; a gata seguia com o olhar o arrastar dos passos como se percebesse ou procurasse perceber o que os produzia. O canário, que dormia no seu poleiro, acordava logo e se punha a voar dentro da gaiola, tomado de grande agitação.

Em outras circunstâncias, ouviam-se sons musicais no salão, como se alguém tocasse fracamente as teclas de um piano, ou bem se percebia um ruído característico como se girasse a chave da secretária na fechadura e a abrisse, entretanto tudo permanecia nos seus lugares. Falei sobre esses ruídos inexplicáveis aos meus camaradas do regimento que foram dormir sucessivamente no sofá do meu quarto e eles ouviram, uns após outros, os ruídos que eu mesmo percebi.

Em seguida, o sr. De Steigner conta que mandou examinar as tábuas do assoalho e os lambris do quarto, sem descobrir nenhum sinal de ratos. Algum tempo depois disso, ele caiu doente e, como a sua enfermidade tendia a piorar, o médico o aconselhou a mudar-se imediatamente de alojamento, sem lhe dar a respeito nenhuma explicação, e ele obedeceu. Quando já convalescente, insistiu junto ao médico para saber da razão que o levara a aconselhar-lhe a mudança, o médico lhe explicou, enfim, que "o alojamento em que ele estivera gozava de deplorável reputação, pois um homem se enforcara naquele quarto e outro fora ali assassinado".

Os leitores já terão observado que, nos casos relatados até aqui, os animais percipientes têm sido ou cães ou gatos ou cavalos, mas no supracitado caso há um canário e isto mostra que o reino dos pássaros é capaz, por sua vez, de perceber as manifestações supranormais e de se espantar por causa delas.

Quanto à atitude do canário em face das manifestações auditivas acontecidas no quarto assombrado, não me parece possível levantar dúvidas sobre o seu alcance demonstrativo, isto é, que o canário percebia muito bem, como os outros animais, as manifestações em curso, pois, com efeito, o ruído de um passo leve, tal como o de um homem de chinelas, não é de molde a espantar um canário, habituado a viver com o homem. Segue-se daí que, se esse passarinho se espantava com ele, é porque percebia realmente as manifestações de assombração e que tinha a intuição instintiva de sua natureza supranormal.

Segundo Subgrupo
Aparição de animais em lugares assombrados

Não é certamente fácil determinar o que representam as aparições de formas animais nas manifestações de assombração. Às vezes, a produção delas coincide com o fato de que animais semelhantes aos aparecidos tenham vivido no lugar. Nesses casos, as formas animais poderão ser explicadas seja pela hipótese da sobrevivência da psique animal, seja supondo uma projeção telepática do pensamento de um morto (tanto mais que, muitas vezes, os animais se manifestam de combinação com fantasmas de pessoas falecidas), seja ainda pela hipótese da revivescência psicométrica de acontecimentos que se produziram no local, na época. Mas, bastas vezes, não apenas não se verifica nenhuma coincidência que permita explicar a aparição animal por uma destas suposições, como pode-se mesmo excluir absolutamente que as formas animais aparecidas em um lugar assombrado correspondam, de um modo qualquer, a outros animais que viveram no lugar. Neste caso, a explicação popular dos fatos é que as aparições de animais representam espíritos de mortos que, tornando-se culpados por faltas graves, tomam, depois da morte, formas animais correspondentes à natureza das suas faltas.[1] Na minha obra *Les phénomènes de hantise* (*Fenômenos de assombração*), capítulo III, citei um caso da

---

[1] Diz-se que as formas de mula-sem-cabeça e lobisomem, assombrações vistas no interior do Brasil, são geralmente espíritos de pessoas más na Terra. Há casos de magia negra em que o espírito toma a forma de uma cobra preta e se enrola na perna da pessoa enfeitiçada. A Sociedade de Medicina e Espiritismo do Rio de Janeiro possui, em seus arquivos, vários casos do gênero. (N.T.)

aparição de um porco. A pessoa que conta esse fato diz que, tendo interrogado alguns pastores a respeito, esses explicaram que o:

(...) responsável pelos fatos era Tommy King, um farmacêutico que vivera cem anos antes e que se enforcara numa casa situada nos arredores e, desde então, o espírito do infeliz errava por aqueles lugares e ali aparecia sob a forma de um animal".

Sobre o assunto escrevi eu:

É a explicação popular sobre as aparições de animais em lugares assombrados e, embora seja ela puramente tradicional e gratuita, não é fácil substituí-la por outra menos gratuita e mais científica. Limitar-me-ei então a observar que, na obra do dr. Justinus Kerner sobre a vidente de Prevorst, lê-se que a vidente, nas suas fases de sonambulismo, explicava da mesma maneira as aparições de animais. Assim, no capítulo VI (4º caso), a propósito de um 'espírito baixo' que lhe aparecia, o dr. Kerner escreveu: "No meu quarto, a aparição se renovou sob o aspecto de um urso". Adormecida, ela diz: 'Agora eu vejo quanto a sua alma deve ser negra', pois que ele volta sob formas tão espantosas, mas é preciso que eu o reveja...". No 5º caso, a vidente em sonambulismo se dirige a um espírito e lhe pergunta se ele poderia manifestar-se sob forma diferente da que tinha quando vivo, e o espírito respondeu: "Se eu tivesse vivido como uma besta eu deveria aparecer-lhe como tal. Nós não podemos, entretanto, tomar as formas que queremos e devemos aparecer-lhe tal como éramos em vida". E no capítulo IV: "O devasso pode aparecer sob a forma de um animal ao qual ele se assemelhe por sua maneira de viver..."

Ao contrário, eu observo que, entre os casos de assombração animal que reuni, há dois deles que sugerem uma explicação diferente, o que, aliás, não excluiria a outra. Foram publicados no *Journal of the S.P.R.* (vol. XIII, pp. 58/62 e vol. XV, pp. 249/252). Trata-se das aparições de um cão e de uma gatinha com esta circunstância notável de que, onde apareciam, haviam morrido um cão e uma gatinha idênticos aos que se manifestavam. No que diz respeito à gatinha, a identificação foi ainda melhor estabelecida pelo fato da forma coxa, à imagem da gatinha, que fora, quando viva, aleijada por um cachorro. Encontra-se, aqui, diante de um autêntico caso de identificação, de modo que é possível deduzir daí que, se se chegar a acumular, em grande número, exemplos desta natureza, eles levarão à demonstração da sobrevivência da alma do animal, possibilidade que não deveria certamente espantar.

Devo acrescentar agora, ao que escrevi na supracitada obra, que cheguei, com efeito, a reunir um certo número de fatos análogos aos que acabei de fazer alusão e dos quais tratarei na oitava categoria. Eles contribuem para tornar provável que se chegue um dia a demonstrar cientificamente a sobrevivência da psique animal. Isto não exclui aliás, de modo algum, que as outras hipóteses indicadas há pouco não possam ser legítimas por sua vez e que elas devem, segundo as circunstâncias, ser levadas em consideração para a explicação de certas modalidades das formas animais. Mais ainda, tudo contribui para demonstrar que as hipóteses expostas acima explicam alguns dos casos pertencentes a esta categoria.

Caso XC – (Visual-coletivo) – Hereward Carrington, um dos mais distintos metapsiquistas dos Estados Unidos da América e autor de obras conhecidas por todos os que se ocupam das nossas pesquisas, relata no *American Journal of the S.P.R.* (1908, p. 188) o seguinte fato que ele mesmo submeteu a um inquérito:

> O muito interessante caso que vou expor é de minha experiência pessoal. Aconteceu no último verão e é, na minha opinião, muito sugestivo senão já concludente...
> Quando me achava em Lilly Dale, o acampamento de espíritas americanos, fiz amizade com três pessoas que foram protagonistas do caso em questão e que se interessavam como eu pelas pesquisas metapsíquicas. Soube do fato por essas mesmas três pessoas no vestíbulo do hotel em que se hospedavam e alguns minutos depois que o acontecimento se deu. Eis de que se trata:
> Os três personagens em apreço – duas senhoras e um senhor – passeavam num caminho pouco afastado da vila e conversavam sobre assuntos diferentes quando uma das senhoras, que possui algumas faculdades clarividentes, percebeu um cãozinho que corria no caminho, diante dela. O sol se punha, mas a claridade do dia era ainda completa e, no entanto, os outros não viram nada porque, na realidade, o animal não existia. O terreno era amplo, nu e plano, portanto, não se tratava de obstáculos naturais à vista. A senhora afirmava que o animalzinho corria diante dela a uma dezena de jardas de distância, mantendo-se no meio do caminho, inteiramente à vista e acrescentou que ele parecia ter as dimensões de um *fox-terrier*, que tinha o pelo amarelo, o focinho alongado, a cauda pequena e anelada. Enquanto as três pessoas discutiam entre si esse estranho caso, um gato saía tranquilamente de uma casa situada a pouca distância delas e se dirigia para o caminho a fim de o atravessar, mas, logo que ali chegou,

chamou a atenção ao bufar e arranhar o ar, justamente no lugar em que se achava o cão fantasma, como se lá estivesse um cão de carne e osso, aparecido defronte do gato. Insisto no fato de que este último havia chegado até o caminho, conservando um aspecto absolutamente tranquilo e indiferente para tomar, repentinamente, uma atitude de briga. Logo depois o gato voltou-se com um pulo e retornou, correndo, para a casa donde saíra. Durante essa cena, a senhora vidente tinha continuado a perceber o cão, depois voltara um instante o olhar para seguir a fuga do gato e virara de novo para o cão, mas o cão já havia sumido. Ela declarou que esse animal não dera nenhuma atenção ao gato, mesmo quando este parecia querer arranhá-lo e seguia tranquilamente o seu caminho. É evidente que, se o gato havia se comportado dessa maneira, é porque ele tinha acreditado perceber diante dele um cão autêntico, surgido de surpresa. E entretanto esse cão não existia! Tais são os fatos sobre a autenticidade dos quais eu me torno fiador. Deixo aos leitores a liberdade de explicá-los ao seu bel-prazer.

Nesta narrativa, não está indicado se o lugar tinha a reputação de ser assombrado e se um cão igual tinha vivido nos arredores. Não é, pois, possível, chegar-se a uma solução teórica qualquer sobre a gênese dos fatos.

Mas isto não anula o incidente por si só, claro e indubitável, da aparição de um cão fantasma, visto coletivamente por uma senhora e por um gato.

Caso XCI – (Visual-coletivo) – Este caso foi publicado pela revista inglesa *Light* (1915, p. 215) e é semelhante ao antecedente. O rev. Charles L. Tweedale escreve o que segue:

Pelas dez horas e meia da noite, minha esposa subiu para o meu quarto e, arrumando os travesseiros, lançou o olhar para os pés da cama. Então percebeu ali um grande cão preto, ereto nas suas patas, que pôde distinguir em todos os seus detalhes. Quase ao mesmo tempo, nosso gato, que havia seguido a sua dona na escada, penetrou no quarto e, vendo por sua vez o cão, deu um pulo, arqueando o dorso, eriçando a cauda, bufando e arranhando o ar. Saltou em seguida para cima do toalete colocado num canto do quarto e se refugiou detrás do espelho do móvel. Pouco depois, o cão fantasma desapareceu e a minha mulher, querendo certificar-se se o gato não era, por sua vez, de natureza fantasmagórica, se aproximou do toalete, olhando por trás do espelho, e ali viu muito bem o autêntico gato num estado de agitação frenética e sempre de pelo eriçado. Quando ela achou que devia levá-lo para o seu canto, o felino bufou e a arranhou, permanecendo ainda presa do terror que lhe havia causado o cão fantasma.

Ainda neste incidente, como no anterior, não se colhe nenhuma indicação de natureza a orientar o pensamento para a busca das causas, o que não impede de ser, por sua vez, muito característico e sugestivo. Com efeito, nos dois casos observa-se a combinação de duas modalidades de manifestação supranormal de que nos ocupamos aqui, a saber: uma, na qual os animais percebem, coletivamente com os homens, as manifestações de assombração; a outra, na qual as manifestações de assombração são constituídas de animais fantasmas percebidos coletivamente por homens e animais.

Caso XCII – (Visual, com impressões coletivas) – A sra. J. Toye Warner Staples enviou à *Light* (1921, p. 553) a narração aqui reproduzida e referente a um caso que lhe é pessoal:

> Temo verdadeiramente que a minha contribuição ao inquérito sobre a sobrevivência da psique animal não seja de natureza a satisfazer às provas exigidas pela *Society for Psychical Research*, todavia o fato que vou expor-lhes é escrupulosamente autêntico e digno de confiança, qualquer que seja a explicação dele.
>
> Minha infância decorreu na parte ocidental da Irlanda e, desde a idade de quatro anos até os seis, morei numa casa muito grande e velha situada às margens do Shannon. Minha família, sendo inglesa, não dava atenção às narrativas da gente do lugar que afirmava que a nossa residência devia ser assombrada. Ora, foi lá que tive a primeira experiência do que se pode chamar de cão fantasma. Nas horas da tarde, durante o verão, em plena luz do dia, algumas vezes durante vários dias consecutivos e outras vezes com o intervalo de vários meses, eu era amedrontada pela aparição, muito nítida e natural, de um cãozinho branco, de raça pomerânia, que se manifestava a mim na cabeceira de minha cama. Ele me olhava com a boca aberta e a língua de fora quando estava ofegante e se comportava como se me visse, tomando a atitude que teria adotado se tivesse querido saltar para cima de minha cama. Então eu me espantava terrivelmente, embora tendo a intuição de que não se tratava absolutamente de um cão em carne e osso. Por vezes, quando o cachorro se mostrava perto da janela, eu percebia os móveis do quarto através do seu corpo branco e me punha a gritar, chamando a minha mãe e exclamando: "Leve-o! Suma com ele!" Logo que mamãe entrava no quarto, ele a seguia e, quando ela saía, ele saía com ela. Então eu era levada para baixo e, à força de carinhos, fazia-me esquecer o medo que havia experimentado.

O mais curioso é que, enquanto eu era a única a perceber esse fantasma canino, quatro outras pessoas o sentiam.

Na plena luz das manhãs de verão, dois membros da minha família – duas mulheres – e uma senhora e um senhor que tinham habitado a casa antes de nós, perceberam muitas vezes algo constituído de um corpo sólido, com as dimensões e peso de um cãozinho, que parecia pular para as camas, do lado dos pés, para passar em seguida lentamente sobre os seus corpos, chegando assim até os ombros e descer para o chão, do outro lado. Em tais ocasiões, os percipientes se sentiam como que paralisados e eram incapazes de se mover, mas, logo depois, eles pulavam do leito e examinavam minuciosamente o quarto sem nada ali descobrir.

Por razões fáceis de serem compreendidas, abstenho-me de dar o endereço da supracitada casa, mas eu o confiaria ao professor Horace Leaf se esta narração interessar a alguém.

Nada de mais incômodo quando não se pode formular uma teoria capaz de explicar, de modo satisfatório, fatos do gênero de que acabamos de narrar e seria talvez melhor passar adiante sem discuti-lo. Caso se pretenda dar uma orientação de qualquer maneira, procedendo pela via de eliminação, dever-se-ia dizer que, no caso em questão, não poderia tratar-se de percepção psicométrica de acontecimentos passados porque o detalhe do cãozinho que olhava em face da percipiente, que se dispunha a pular para cima de sua cama, que seguia os passos de pessoas presentes, saindo com elas, assim como o outro detalhe das impressões táteis experimentadas por quatro pessoas, evocando um animal que passaria sobre seus corpos, indicam *uma ação no presente* e não uma reprodução automática de *ações que se desenrolam no passado*, como deveria unicamente se produzir no caso das percepções psicométricas.

Pela mesma razão dever-se-ia excluir a hipótese de uma projeção telepática por parte de um morto, visto que uma projeção dessa natureza provocaria a percepção alucinatória de uma forma de animal plasticamente inerte ou que se deslocaria automaticamente, mas nunca a de uma forma animal consciente do meio em que se acha.

Enfim, mesmo a hipótese alucinatória, entendida segundo o significado patológico deste termo, não poderia ser sustentada, considerando-se que quatro outras pessoas tinham por várias vezes experimentado impressões *táteis* correspondentes às percepções *visuais* da criança, o que bem demonstra que, na origem dos fatos, devia haver um agente único que tinha que ser, forçosamente, inteligente e estranho às percipientes.

Assim sendo, não restaria à disposição do pesquisador senão duas hipóteses: primeiramente, a tradicional ou popular, segundo a qual as formas animais, que aparecem nos lugares assombrados, representam o simulacro simbólico de espíritos humanos de uma categoria baixa e depravada; depois, a graça à qual se supõe que a psique animal sobrevive à morte do corpo e chega algumas vezes a se manifestar aos vivos.

Após ter exposto estas observações para satisfazer meu dever de relator, abstenho-me de toda conclusão, pois que a ausência dos necessários dados não o permite. Limito-me a observar que as duas hipóteses que acabo de mencionar podem ambas explicar os fatos pela intervenção de entidades espirituais desencarnadas: no caso da primeira, tratar-se-ia de entidades humanas, na outra, de entidades animais.

Caso XCIII – (Visual, com 'impressões' coletivas) – Tiro-o do *Journal of the S.P.R.* (vol. XIII, pp. 52/64). Faz parte de um longo relatório sobre uma casa assombrada na qual apareciam os fantasmas de uma mulher vestida de preto, um homem enforcado num galho de árvore e um cãozinho, percebidos por numerosos percipientes. No relatório estão assinalados quatorze aparições do cãozinho, mas me restrinjo a narrar aqui a primeira delas:

Eis o que conta a sra. Fletcher, que residia na casa assombrada:

> O cãozinho branco fez a sua primeira aparição no mês de janeiro de 1900. Numa tardinha, meu marido saiu da biblioteca, onde estava sozinho, e me disse: "Vi um cãozinho branco na biblioteca". E eu lhe respondi sorrindo: "Nada de mais natural, pois nossos dois cães costumam passar de um aposento para outro", mas meu esposo, sério, acrescentou então: "Não estou falando dos seus cães. Enquanto eu escrevia, vi um cãozinho branco andar em volta da secretária e caminhar para a porta, que se achava fechada. Pensando que fosse a Nipper, levantei-me a fim de abrir a porta, mas o cachorrinho havia desaparecido". Depois desse primeiro incidente, as aparições do cãozinho branco se tornaram frequentes e todos nós as pudemos ver, inclusive os criados, os nossos hóspedes, a srta. Plumtre (da qual se acha junta a narração) e o seu irmão.

Preciso chamar a atenção dos leitores para o fato de que, quando o animal roçava os percipientes em alguma parte do corpo, eles experimentavam logo uma sensação de queimadura no ponto em que se tinha exercido a pressão alucinatório-verídica do corpo do cão fantasma. A sra. Fletcher escreve a este respeito o seguinte:

> A respeito de minha perna, acima do joelho, que o cão havia roçado ao passar, experimentei, por várias horas, uma sensação de picada bastante aguda, tal como a de leve queimadura. Minha filha Eglantine não se achava presente quando falei sobre isto, entretanto, pouco depois, observou espontaneamente: "Mamãe, em lugar de minha perna, onde o nariz do cão me tocou, eu sinto uma sensação de queimadura".

Um pouco mais adiante, observa a sra. Fletcher:

> Não cheguei a descobrir nenhum incidente do passado que tenha relação com a aparição do cachorrinho branco, exceto que, há trinta anos, eu possuía um *fox-terrier* de pelo branco duro, que fora meu grande favorito e absolutamente parecido com o que se manifesta.

Esta última observação da sra. Fletcher deixaria supor que, neste caso, já se trataria de um primeiro exemplo de identificação de uma forma animal, mas esta observação é realmente muito vaga para poder ser tomada em consideração. Não é senão colocando-o em comparação com casos análogos, que citarei na oitava categoria, que ele chega a adquirir, indiretamente, certo valor probante. De toda maneira, não se saberia ligar o fato da aparição verídica de um cão morto há alguns anos apenas com as aparições de fantasmas de homem e de mulher, a menos que não se queira inferir desta coincidência que as condições de saturação fluídica inerente a um meio assombrado tenham tornado possível ao cão se manifestar.

Caso XCIV – (Visual-coletivo, com precedência dos animais sobre o homem) – Destaco-o de um artigo já citado pela sra. Elizabeth d'Espérance e publicado em um número de outubro de 1904 da *Light*. Considerando que o fato examinado é contado por uma dama estimada, universalmente conhecida no domínio dos estudos psíquicos e que foi ela mesma a protagonista do acontecimento, o que faz com que seja uma garantia do que a própria afirma, parece-me que esta narração merece séria consideração.

Eis as passagens que reproduzimos estritamente:

A localidade, onde se produziram os fatos, não está afastada de minha casa e eu mesma fui testemunha ocular deles. Depois da publicação de meu caso, tive o ensejo de assistir a um fato semelhante. Eis brevemente a sua história:

Em 1896, estabeleci-me definitivamente na minha residência atual. Conhecia muito bem o lugar, que já havia visitado várias vezes, e estava mesmo informada de que ele tinha a fama de ser assombrado, todavia eu não tinha sabido grande coisa a este respeito, sobretudo porque não conhecia quase ninguém nos arredores, depois porque não se conhecia a minha língua e eu ignorava a do país. Após isto é fácil conceber que as comunicações entre nós deviam necessariamente ficar limitadas, pelo menos durante certo tempo. O que vi ou acreditei ver não deve então ser atribuído a um efeito de rumores que eu não poderia conhecer.

Nos meus passeios cotidianos, eu tinha o hábito de ir a um bosquezinho de que gostava muito por causa da sombra fresca da qual ali se gozava no verão e porque também se ficava livre dos ventos do decurso do inverno. Uma estrada pública atravessava-o de um lado a outro. Ora, eu havia frequentemente observado que os cavalos eram ali tomados de medo e tal coisa sempre me intrigara, não sabendo a que atribuir o fato. Em outras ocasiões, quando eu chegava a esse lugar com o meu par de cães, esses se recusavam decididamente a entrar no bosque, se arrojavam por terra, metiam os focinhos entre as patas e ficavam surdos à persuasão bem como às ameaças. Se eu me dirigisse para qualquer outra direção, eles me seguiam alegremente, porém, se eu insistisse em querer voltar para o bosque, me abandonavam e se dirigiam para casa, presas de uma espécie de pânico. Renovando-se esse fato por várias vezes, decidi-me falar dele a uma amiga, que era proprietária desse lugar. Soube então que incidentes iguais se tinham muitas vezes reproduzido no local há anos bem recuados, não constantemente, mas a intervalos de tempos, com cavalos ou cães, indiferentemente. Contou-me também que essa parte da rota que atravessava o bosque era olhada pelos lavradores do lugar como um terreno assombrado devido a um terrível crime que foi cometido no começo do século passado.

Um cortejo matrimonial tinha sido atacado por um apaixonado que a esposa repelira e essa foi assassinada ao mesmo tempo que o marido e o pai. O culpado fugiu, mas foi alcançado, a dois ou três campos de distância, pelo irmão da esposa, que o matou. Esta história, muito conhecida, é autêntica. Perto do pequeno bosque (mas não onde os cavalos se espantavam) há três cruzes de pedra que marcam o lugar onde os três assassinatos foram cometidos e uma outra cruz, colocada a três campos de distância, assinala o ponto em que o culpado tombou por sua vez. Tudo isto se passou há um século, mas a presença das cruzes tem servido para conservar, na região, a lembrança do drama, o que explicaria, portanto, a atitude dos cavalos e dos cães.

Num dia do outono de 1896, eu havia saído com uma amiga para fazer um passeio... Chegamos ao bosquezinho no qual entramos pelo lado do oeste, seguindo tranquilamente o nosso caminho... Fui a primeira a me voltar e percebi uma vitela de tom vermelho-escuro. Surpresa com a aparição inesperada desse animal ao meu lado, soltei uma exclamação de espanto e ela se abrigou logo no bosque, do outro lado do caminho. No momento em que penetrava no arvoredo, um estranho clarão avermelhado se desprendeu dos seus grandes olhos e dir-se-ia que projetavam chamas. Era hora do pôr-do-sol, o que fez com que eu pensasse que os raios do sol, que dardejavam em linha horizontal, sobre os olhos do bicho, bastassem para explicar o fato, olhos esses que brilhavam quase como as esquadrias de uma janela quando eram batidas diretamente pelos raios do sol.

Quando estávamos perto de nossa casa, minha amiga verificou que havia perdido o cabo de prata de sua sombrinha e se dirigiu para um dos jardineiros a fim de lhe pedir para mandar um homem procurar o objeto perdido e lhe deu todas as indicações necessárias ao lhe indicar exatamente qual o caminho que havíamos percorrido. O jardineiro lhe disse que, antes do anoitecer, ele mesmo iria lá e lhe explicou que os camponeses da região experimentavam grande mal-estar ao penetrarem no bosque, sobretudo à tarde. – E por quê? – perguntou a minha amiga. O jardineiro contou então que a superstição desses camponeses ignorantes, já tão intoleravelmente estúpidos e irritantes, tinha ainda piorado ultimamente em consequência do rumor de que 'a vitela de olhos reluzentes' fora vista no bosque, o que fez com que ninguém se aventurasse a ir lá... Minha amiga e eu trocamos um olhar, sem contradizer o douto jardineiro que foi procurar o objeto perdido enquanto voltávamos para casa.

Desde então, por algumas outras vezes, a longos intervalos, espalhava-se o rumor de que 'a vitela de olhos reluzentes' fora vista por alguém e o bosque era cada vez mais evitado pelos camponeses, se bem que, depois dessa época, bem poucos dias se passavam sem que eu atravessasse o bosque a pé ou a cavalo (salvo certos períodos durante os quais eu devia ausentar-me da casa) e quase sempre com o meu par de cães, e nunca mais, até há algumas semanas, me aconteceu encontrar novamente com o animal misterioso.

Era uma jornada sufocante e eu me dirigira para o bosque em busca de abrigo contra o sol e a reverberação enceguecedora do caminho. Estava acompanhada de dois *collies* (cães pastores) e por um pequeno *terrier*. Chegando ao limite do bosque, os dois cães se agacharam subitamente debaixo do sol e se recusaram a prosseguir caminho, ao mesmo tempo em que exerciam toda a sua arte de persuasão canina para que eu me dirigisse para outro lado. Vendo que eu persistia em querer prosseguir, acabaram por me acompanhar, porém com visível repugnância. Todavia, alguns instantes após, pareceram se esquecer e recomeçaram a correr para cá e para lá, enquanto eu continuava tranquilamente o meu caminho, colhendo amoras. Num certo momento, eu os vi chegar às carreiras para irem deitar-se, tremendo e gemendo, aos meus pés. Simultaneamente, o pequeno *terrier* saltava sobre os meus joelhos. Eu não conseguia explicação para o evento, quando, de repente, ouvi detrás de mim umas patadas furiosas que se aproximavam rapidamente. Antes que eu tivesse tempo de afastar-me, vi correr, na minha direção, um bando de gamos cheios de pavor e que, na sua desenfreada galopada, faziam tão pouco caso de mim e dos cães que quase me jogaram por terra. Olhei em torno de mim, espantada, para descobrir a causa de tal pânico e percebi uma 'vitela de cor vermelha carregada', que, voltando sobre os seus passos, se embarafustou pelas partes podadas, enquanto os gamos se tinham virado para uma outra direção do bosque. Meus cães que, em outras circunstâncias ordinárias, lhes teriam dado caça, se mantinham agachados e trêmulos nos meus pés, ao passo que o cão *terrier* não queria descer de cima dos meus joelhos. Por vários dias esse cãozinho não quis mais atravessar o bosque e os *collies* não se recusavam a isso porém ali entravam contra a vontade deles, mostrando visivelmente a sua desconfiança e o seu temor.

O resultado das nossas indagações não fez senão confirmar ainda mais as nossas impressões, isto é, que a 'vitela de cor vermelha escura' ou, como se diz na região, 'a vitela de olhos reluzentes', não era um animal comum, vivo e terrestre... Qual relação, porém, podia existir entre o fato em questão e a tragédia que se desenrolara no bosque é um problema para o qual não encontrei nenhuma resposta. Não duvido, portanto, de que as faculdades de intuição e de clarividência próprias aos animais deviam ter-lhes feito conhecer a existência de alguma coisa de anormal ou de supranormal no bosque e que a repugnância pelos fenômenos desta natureza – repugnância que, no homem, é chamada superstição – era a causa verdadeira de sua estranha atitude.

Se eu tivesse sido a única pessoa a ver o misterioso animal é mais do que provável que não teria falado dele, mas foi bem de outra maneira, isto é, ele foi visto várias vezes, em circunstâncias diferentes, por numerosas pessoas da região.

Tal é o muito notável caso narrado pela sra. d'Espérance que faz justamente observar que, nessa circunstância, não podia tratar-se de um animal vivo. Observo, por minha vez, que esta última hipótese não resiste à mais superficial análise dos fatos. É o que parecerá evidente se se considera antes que uma vitela em carne e osso não podia ter existido e aparecer numa localidade, durante um século inteiro. Depois os cavalos, os cães e os gamos não estão habituados a se espantar diante de uma vitela inofensiva, e, em último lugar, que, com esta suposição, não se explicaria o terror e o pânico ao qual estavam sujeitos tantas vezes os cavalos e os cães, quando, na aparência, não existia nada de anormal para o homem.

♦ ♦ ♦

Para vinte e dois outros casos pertencentes a uma e outra das subdivisões desta categoria, envio os leitores aos seguintes jornais e livros:
Caso XCV – (Visual-auditivo-coletivo) – *Proceedings of the S.P.R.*, vol. V, p. 470.
Caso XCVI – (Visual-auditivo-coletivo, com anterioridade do animal sobre o homem) – *Proceedings of the S.P.R.*, vol. IV, p. 262.
Caso XCVII – (Visual-auditivo, com anterioridade do animal sobre o homem) – *Proceedings of the S.P.R.*, vol. X, pp. 353/354.
Caso XCVIII – (Visual-auditivo-coletivo) – *Journal of the S.P.R.*, vol. II, p. 149.
Caso XCIX – (Visual-auditivo-coletivo, com anterioridade do animal sobre o homem) – *Journal of the S.P.R.*, vol. II, pp. 253/254/256.
Caso C – (Visual-auditivo-coletivo, com anterioridade do animal sobre o homem) – *Journal of the S.P.R.*, vol. II, p. 348.
Caso CI – (Visual-auditivo-coletivo, com anterioridade do animal sobre o homem) – *Journal of the S.P.R.*, vol. II, p. 351.
Caso CII – (Visual-auditivo-coletivo, com anterioridade do homem sobre o animal) – *Journal of the S.P.R.*, vol. III, p. 120.
Caso CIII – (Visual-auditivo-coletivo) – *Journal of the S.P.R.*, vol. V, p. 307.
Caso CIV – (O animal é o único percipiente) – *Journal of the S.P.R.*, vol. VI, p. 16.
Caso CV – (O animal é o único percipiente) – *Journal of the S.P.R.*, vol. VI, p. 65.

Caso CVI – (Visual-coletivo) – *Journal of the S.P.R.*, vol. VI, p. 172.

Caso CVII – (O animal é o único percipiente) – *Journal of the S.P.R.*, vol. VII, p. 331.

Caso CVIII – (Visual-coletivo) – Robert Dale Owen: *The dematable land*, pp. 233/236.

Caso CIX – (Visual-coletivo) – sra. De Morgan: *From matter to spirit*, pp. 244/247.

Caso CX – (Visual-coletivo-sucessivo) – *Journal of the S.P.R.*, vol. XIII, pp. 256/262.

Caso CXI – (Visual-coletivo) – *Journal of the S.P.R.*, pp. 342/343.

Caso CXII – (Visual-coletivo) – *Journal of the American S.P.R.*, 1910, p. 50.

Caso CXIII – (Visual-coletivo) – *Light*, 1901, p. 46.

Caso CXIV – (Visual-táctil-coletivo) – *Light*, 1903, p. 473.

Caso CXV – (Visual-coletivo) – *Light*, 1917, p. 311.

Caso CXVI – (Visual-coletivo) – *Light*, 1921, p. 610.

Sétima Categoria

Materializações de Animais

Apresso-me a declarar que as pesquisas experimentais sobre as manifestações animais tratadas nesta categoria se acham ainda em condições rudimentares, de modo que esses fenômenos não podem ser ainda considerados sob um ponto de vista científico e eu me contentarei em apreciar a questão para que não haja uma aparência de lacuna na minha obra.

Entre as atas das sessões experimentais de efeitos físicos, os casos em que se faz alusão a materializações de formas de animais não são muito raros. Apenas, como se trata quase sempre de manifestações inesperadas e fugazes, as descrições que delas nos são fornecidas nunca são bem detalhadas para que se autorize a considerá-las como cientificamente probantes. Elas poderão, entretanto, adquirir um dia certa importância do ponto de vista da história deste ramo especial de fenômenos e isto terá lugar quando essas manifestações forem ligadas à ciência ao mesmo tempo que os outros ramos mais evoluídos do mesmo tronco supranormal, podendo-se isto esperar sem se mostrar temerário nas suas previsões.

Visando à futura história desse novo ramo de pesquisas, disponho-me então a relatar alguns fatos do gênero, a simples título anedótico e, por consequência, sem lhes atribuir um número de ordem, pois que não se pode reuni-los, no momento, numa classificação científica.

◆ ◆ ◆

Se nós nos reportarmos há meio século atrás na cronologia das manifestações mediúnicas, encontramos uma primeira alusão às manifestações de animais numa carta remetida à *Light* (1907, p. 275) por Alfred Vout Peters, o conhecidíssimo médium psicômetra, carta à qual, falando sobre uma visão de animal morto que acabava de ter, acrescenta:

> Recordo-me de que, nas sessões com a sra. Corner (a médium, então solteira, Florence Cook), obteve-se a materialização de um macaco com grande terror do médium, que não esperava semelhante manifestação.

Acho uma outra alusão análoga, porém um pouco mais detalhada, na obra do dr. Paul Gibier, *Analyse des choses*, p. 210, na qual, tratando dos fenômenos de materialização que se produziam na casa do coronel M., da Escola Politécnica de Paris, observa:

> Nas sessões com o coronel M. (1875/1877), assistidas por diferentes notabilidades científicas do exército, a médium era a filha adotiva do próprio coronel. Um fenômeno que, sobretudo me despertou a atenção, no decurso de uma série de experiências, e que eu registro para aqueles que estão bem iniciados nesses estudos, foi a materialização perfeita de um cãozinho, morto, há alguns anos, e que pertencia ao coronel.

Na obra de Gambier Bolton, intitulada *Ghosts in solid form* (*Fantasmas em forma sólida*), na qual se acham resumidas as principais manifestações obtidas durante sete anos de experiências com médiuns privados, encontram-se algumas materializações de animais. No decurso de uma sessão a que assistia o marechal-de-campo *lord* Wolseley, houve a materialização de uma foca e, numa outra, a de um animal selvagem da Índia, que tinha sido educado e domesticado por uma senhora presente à reunião. O animal, tendo imediatamente reconhecido a sua antiga dona, tinha saltado dos joelhos do médium para os da referida senhora, manifestando a sua alegria por meio de guinchos bem característicos, idênticos aos que emitia quando vivo, em iguais circunstâncias.

Durante as famosas sessões de materializações que tiveram lugar em Argel em 1905 com a médium Marthe (a Eva C., da sra. Bisson), na presença do prof. Charles Richet e de Gabriel Delanne, uma forma animal se materializou. A sra. X. fala dela assim:

O prof. Richet não falou senão das manifestações que se ligam à figura central de Bien-Boa, mas penso que ele não seja contrário a que eu relate um curioso incidente que se passou na sessão de sete de setembro.

A gatinha da casa nos seguira, sem que nós o percebêssemos, à sala das sessões e, quando ocupamos os nossos lugares, saltou sobre os meus joelhos e não se mexeu mais. Durante cerca de meia hora não houve senão fracos fenômenos. Em seguida as cortinas do gabinete mediúnico foram abertas por uma mão envolvida numa das cortinas, deixando ver o médium, acompanhado da forma materializada de Aischa. Imediatamente a gatinha deixou os meus joelhos para pular sobre os do médium, mas, quando estava lá, a sua atenção pareceu fixar-se em alguma coisa existente no canto do gabinete. Um de nós observou: "Que estaria ela vendo?" E uma voz respondeu do canto do gabinete: "Ela me percebeu". Simultaneamente uma forma envolvida na cortina se encaminhou para a gatinha, começou a fazer-lhe carinhos e a brincar com ela. O bicho correspondeu a eles alegremente, esfregando-se na orla da cortina, mas a deixou logo para virar o seu olhar para o canto B do gabinete, tomando uma atitude de defesa, como se estivesse na presença de uma criatura hostil, e logo empinou o dorso e se pôs a bufar e a miar de modo ameaçador. Uma voz, do canto B, disse então: "Ela percebe um outro gato" e, ao mesmo tempo, ouvimos, do mesmo canto, um forte miado fazendo eco ao da gata. Esta saltou dos joelhos do médium para os da sra. Paulette, um dos membros de nosso grupo experimental, enquanto ouvíamos provir, por duas vezes, do canto, os miados do gato materializado, depois do que uma massa preta, da dimensão de um gato, pulou para cima dos joelhos do médium e ali permaneceu durante cerca de dois minutos para desaparecer em seguida, de uma maneira bastante especial, visto que pareceu dissolver-se lentamente. (*Light*, 1921, p. 594).

No decurso das sessões com a célebre médium sra. Wriedt, da qual o traço mais característico é constituído pelos fenômenos de 'voz direta', obtêm-se muitas vezes materializações de animais que fazem ouvir as suas vozes. Limito-me a reproduzir dois exemplos.

Na ata das sessões de Cambridge, Inglaterra, que foram realizadas em 1914, um magistrado dessa cidade assim fala delas na *Light*, 1914, p. 296:

> Durante a primeira sessão realizada em Wimbledon, a minha esposa sentiu uma pressão característica sobre um de seus pés, mas não

soube precisar de que se tratava. Isso se renovou por várias vezes, dando lugar a diversas suposições por parte dos experimentadores. De repente, fomos surpreendidos com o latir de um cão e então perguntamos ao espírito-guia, dr. Sharp, o que nos poderia dizer a respeito desses latidos e ele nos respondeu: "Está aqui um cão fraldiqueiro que pertencia à vossa esposa". Com efeito, vários anos antes havíamos perdido um fraldiqueiro ao qual éramos muito afeiçoados e que já havia sido visto conosco, em outras sessões, por médiuns clarividentes. Inútil é acrescentar que o médium não podia saber nada disso.

Numa outra sessão com o mesmo médium, sessão cuja ata foi publicada na *Light* (1921, p. 490), o sr. A. J. Wood diz:

> Levei à sessão um dos meus amigos, acompanhado de sua esposa. A sra. Wriedt descreveu, com muita precisão, um cão da raça *collie* que ela percebia ao lado desses meus amigos. Num dado momento, dirigindo-se à esposa, o médium disse: "Ele pousou a cabeça em cima dos vossos joelhos." No mesmo instante, ouvimos partir desse canto um latido forte e alegre. Ora, com efeito, os meus amigos haviam possuído um cão *collie*, grande favorito deles, que morrera vários anos antes e cuja descrição correspondia exatamente à feita pelo médium.

Cito, em último lugar, alguns extratos das atas das sessões com o médium polonês Frank Kluski, publicadas na *Revue Métapsychique*, de onde sobressai que se acha verossimelmente em face de uma primeira contribuição experimental séria em favor da materialização de animais.

Já no fascículo de julho/agosto de 1921 (p. 201) da supracitada revista, o dr. Gustave Geley, que assistiu às sessões, anunciara a publicação iminente das atas a respeito do extraordinário fenômeno das materializações de animais, nos seguintes termos:

> As materializações de formas animais não são raras com Kluski. Nas atas das sessões realizadas na Sociedade de Estudos Psíquicos de Varsóvia, que publicaremos em breve, veremos assinalados, especialmente, uma grande ave de rapina, aparecida em várias sessões e fotografada; e depois um ser bizarro, uma espécie de intermediário entre o macaco e o homem. Ele é descrito como tendo a altura de um homem e uma face simiesca, mas com uma fronte desenvolvida e reta, cara e corpo cobertos de pelos, braços bem compridos, mãos grossas e com-

pridas etc. Mostra-se sempre mudo, pega as mãos dos assistentes e as lambe, como o faria um cachorro.

Ora, esse ser, que havíamos chamado de 'O Pitecantropo', se manifestou várias vezes durante as nossas sessões. Um de nós, na sessão de vinte de novembro de 1920, sentiu a sua grande cabeça peluda se apoiar pesadamente sobre o seu ombro direito e contra as suas faces. Essa cabeça era ornada de cabelos duros e desagradáveis. Um odor de bicho, de 'cão molhado', se desprendia dele. Um dos assistentes, tendo então estendido uma das mãos, o 'Pitecantropo' a segurou e depois a lambeu demoradamente por três vezes. Sua língua era longa e macia.
Em outras vezes, sentimos, junto de nossas pernas, contatos lembrando o roçar dos cães.

O relatório das sessões, às quais ele fez alusão no parágrafo acima, foi publicado no número de janeiro/fevereiro de 1923, pp. 27/39, da *Revue Métapsychique*. Extraio da ata da sessão de trinta de agosto de 1919 a seguinte passagem:

Vimos, simultaneamente, várias aparições. A primeira, que se fez ver bem, foi uma aparição que já era conhecida dos assistentes pelas sessões anteriores. Era um ser da altura de um homem adulto, grandemente peludo, com enorme cabeleira e barba emaranhada. Estava vestido como que numa pele grosseira e sua aparência era a de um ser lembrando um animal ou um homem muito primitivo. Não falava, e sim, emitia sons roucos com os seus beiços, estalava a língua e rangia os dentes, procurando em vão fazer-se entender. Quando foi chamado, aproximou-se e deixou acariciar a sua peluda capa, e tocava as mãos dos assistentes e as apertava muito suavemente com garras em vez de mãos. Obedecia à voz do médium e não fazia nada de mal aos assistentes ao tocá-los suavemente. Já era um progresso porque, nas sessões anteriores, esse estranho ser manifestava grande violência e brutalidade. Tinha visível tendência e vontade tenaz em lamber as mãos e as faces dos assistentes, que se defendiam dessas carícias tão desagradáveis. Obedecia a cada ordem dada pelo médium, não apenas quando essa ordem era expressa pela palavra, mas também quando expressa pelo pensamento.

Extraio esta outra passagem da ata da sessão de 3 de setembro de 1919. Escreve o relator:

> Simultaneamente o médium e as pessoas sentadas em torno dele sentiram a presença do animal-homem primitivo, como durante as sessões anteriores. Essa materialização fez a volta aos assistentes, lambendo-lhes as mãos e as faces, sobre as quais passeava sua mão ou pata peluda, ou apoiava a sua cabeça hirsuta. Todos esses gestos foram lentos e não bruscos. Essa 'entidade' só mostrava certa animosidade contra a gatinha da sra. Kluska, de nome Frusia, que se deitara sobre os joelhos da sra. Grzelak. A materialização puxou os pelos e as orelhas da gatinha, que começou a se afligir e a miar. Finalmente, muito espantada, a gatinha pulou dos joelhos da sra. Grzelak e foi se refugiar em cima do sofá, entre as pessoas que ali se achavam, e não se mexeu mais.

A sessão foi suspensa por algum tempo e, quando reiniciada, o homem primitivo se materializou novamente. A ata continua assim:

> Desde o começo vimos várias aparições entre as quais a do 'homem primitivo'. Este ficou todo o tempo sentado no assoalho, em cima do tapete, entre os assistentes, mantendo-se relativamente tranquilo, mas não permitiu que fosse iluminado com as lanternas e arrancou mesmo a que era segura pela sra. Kluska.

As atas em questão contêm três outros episódios de materialização do mesmo fantasma do 'homem primitivo' e eu não as reproduzo considerando que são análogas às anteriores.[2]

No que diz respeito às materializações da grande ave de rapina, não acho nessas atas senão uma única alusão a um dos fatos, isto é, na sessão de 7 de setembro. O relator escreve assim:

---

[2] Contou-me, há uns quarenta anos mesmo, o sr. Manoel Dias de Andrade, então dirigente dos trabalhos do grupo particular de Niterói (Grupo Espírita de Pedro e Paulo), que um seu antigo vidente, o sr. Regal, homem possuidor de uma única vista, mas que via muito com a sua vista espiritual, certa noite vislumbrara no recinto das sessões um estranho ser, que, pela descrição que ele me fez, bem que se assemelha ao 'homem primitivo'. (N.T.)

Às onze horas e vinte minutos vimos um grande pássaro (como a águia ou o abutre da sessão n° 1), bem materializado e bem iluminado, acima da cabeça da sra. Jankowska. Ouvimos também estalos e ruídos de passos.

Faço observar a propósito que, na *Revue Spirite* (janeiro/fevereiro de 1923), foi estampada uma belíssima fotografia da ave de rapina de que falo e que foi vista encarapitada sobre o ombro esquerdo do médium, com suas grandes asas abertas e o olhar penetrante dirigido para os experimentadores.

Tais são as manifestações, todas recentes, de materializações de animais, materializações que se revestem de uma importância ao mesmo tempo científica e metapsíquica e a circunstância de ser o grande pássaro de rapina fotografado é de grande valor teórico decisivo, pois que basta para eliminar a hipótese alucinatória. E que esperanças de uma futura ciência antropológica-supranormal não permite essa aparição materializada de um ser apresentando todos os traços característicos de um dos nossos longínquos ancestrais, laço de conjunção entre o homem e os macacos antropoides, confirmando as induções de naturalistas sobre a existência do '*Pithecanthropus alalus*?' O assunto é, sem dúvida, bem apaixonante e sugere muito naturalmente amplas considerações sobre a filogênese humana, mas não devemos nos aventurar aqui em questões prematuras.

◆ ◆ ◆

Do conjunto dos casos citados até aqui, pôde-se deduzir, em suma, que os episódios das materializações animais tomam muitas vezes o aspecto de provas de identificação espírita para a raça animal, provas análogas às das de identificação espírita para o gênero humano. Decorre daí que, se este novo ramo de pesquisas pode evoluir, ele contribuirá, com os outros, para demonstrar, espiritualmente, a existência e a sobrevivência da psique animal.[3]

Prevejo a objeção que se poderá fazer-me a respeito: a de que os fenômenos de materialização humana, tanto como os fenômenos de materialização animal, são explicáveis pela hipótese ideoplástica sem que se precise recorrer à hipótese espírita. Respondo que, se a hipótese ideoplástica é suficiente para considerar certas modalidades rudimen-

---

[3] Que sonho acalentou Bozzano com estas palavras. Em toda a Europa as ditaduras religiosas e militares como que 'apagaram' o espiritismo que parece que aqui, no Brasil, passou à religião cristã-mediúnica. (N.T.)

tares de materializações humanas e animais, se ela é verdadeiramente a causa desses fenômenos, seria, ao contrário, absurdo e insustentável estender-se esta explicação à classe inteira dos fenômenos considerados. A este respeito nunca será bastante repetir que 'animismo' e 'espiritismo' são dois termos inseparáveis de um mesmo problema e que, por consequência, nas manifestações mediúnicas de todas as espécies, achar-se-á forçosamente em face de modos de manifestações que são, em parte, 'anímicas' e, em parte, 'espíritas'. E não poderia ser de outro modo e seria mesmo absurdo pretender-se o contrário, considerando-se que, em ambos os casos, o espírito que opera é o mesmo, com diferença todavia de que, em um caso, ele se acha em condição de encarnado e, no outro, de desencarnado. Nada mais natural, então, que esta combinação inseparável das duas ordens de manifestações se realize também nos casos de fenômenos de materialização, para os quais, entretanto, é relativamente fácil distinguir entre os fenômenos anímicos e espíritas. Com efeito, assim como já observei em uma outra de minhas obras, o caso do espírito de Katie King, que conta aos filhos de William Crookes a sua vida terrena; o de Estelle Livermore, que escreve ao seu marido longas cartas em francês, língua ignorada pela médium; o outro de Nepenthes, da sra. d'Espérance, que afirma ter vivido nos tempos históricos da Grécia antiga e que escreveu uma mensagem de sete linhas em *grego antigo, língua ignorada por todos os assistentes*, estes casos não poderão nunca ser explicados pela hipótese ideoplástica e deverão ser considerados como sendo incontestavelmente espíritas. Pode-se dizer outro tanto do caso Sven Stromberg-d'Espérance, no qual, um obscuro pastor sueco, emigrado e falecido no Canadá, numa região perdida no campo, se manifesta pela escrita automática sessenta horas depois do seu desencarne, materializa-se em seguida, é fotografado pelo prof. Bloutlerof na presença de Alexandre Aksakof e outros eminentes experimentadores, depois do que a fotografia é enviada à Suécia, pequeno país natal de Sven Stromberg, de acordo com o endereço dado pelo próprio espírito e lá ela é identificada por numerosos patrícios do morto (*Light*, 1905, pp. 43/45), e *Shadowland* (*No país das sombras*), pela sra. d'Espérance.

É evidente que, nos casos análogos a este último, a hipótese ideoplástica fica excluída ao se considerar que o poder criador do pensamento do médium não podia certamente materializar os traços de um morto que ele não conhecia e que os próprios assistentes desconheciam. Daí a inferência inevitável de que, se um morto, ignorado de todos os assistentes, chega a se materializar, a coisa não pode ser explicada senão supondo-se que ele se acha presente e que age. Essa inferência não pode ser discutida e, como não há hipótese racional a lhe opor, ela se reveste de um valor de prova decisiva.

Apenas, como se trata, em nosso caso, de materializações animais, vemos surgir, a este respeito, uma importante dúvida teórica. Pode-se observar, com efeito, que as materializações autênticas de espíritos humanos desencarnados podem ser, até um certo ponto, compreensíveis pelo fato de que nós podemos controlar as afirmações das personalidades mediúnicas segundo as quais as materializações se produziram graças a um ato da vontade da entidade que se manifesta. E nós podemos controlar essas afirmativas comparando os fenômenos de materialização com certas manifestações teratológicas do desenvolvimento orgânico tais como os 'sinais maternos' e as 'cicatrizes' que se pode comparar a um fenômeno de *ideoplastia subconsciente* e, por conseguinte, a um ensaio rudimentar terrestre do poder criador da ideia.

Essas manifestações anormais tornam então verossímil o fato de que o processo materializante tem lugar por força de um ato de vontade da entidade manifestante, mas não se saberia considerar materializações de animais para as quais, na falta de faculdades de raciocínio bastante evoluídas, o ato de vontade necessário não seria possível.

O assunto é teoricamente interessante. Antes de discuti-lo segundo a minha maneira de abordar as coisas, reproduzo aqui a opinião de uma pessoa profundamente versada nos estudos metapsíquicos, pessoa com a qual troquei algumas cartas a este respeito. Escreve ela:

> Não se deveria perguntar se as faculdades subliminais dos animais – de alguns, sobretudo – não seriam infinitamente superiores às que se manifestam durante a vida encarnada, no decurso da qual um animal é colocado numa posição quase sempre inferior (por força da estrutura rudimentar de seu organismo cerebral) à alma de um homem, o que reduz momentaneamente, ou definitivamente, sua condição? Por que um cão morto deveria achar mais dificuldade em se materializar como um cão vivo e não ser *agente* de um fenômeno telepático? Os dois fenômenos podem provavelmente efetuar-se automaticamente assim como a ostra constrói automaticamente a sua concha; a aranha, a sua teia; a abelha, o seu casulo e o mel etc. E isto, bem entendido, sem mesmo entrar na questão obscura da inteligência, sobretudo matemática, que executam os animais quando nos dão uma comunicação automática

(cavalos de Elberfeld, cães de Manheim etc.). Prefiro não levantar esta questão justamente porque ignoro qual seja o papel que pode desempenhar, em tudo isto, a colaboração inconsciente do homem. Nossos médiuns sabem até então como produzem os seus fenômenos supranormais não-espíritas e, por exemplo, as materializações puramente ideoplásticas?

Tais são as argumentações racionais e convincentes sugeridas ao meu correspondente pela dificuldade teórica em questão. Não posso senão observar, todavia, que o seu ponto de vista depende do fato de admitir que a mente subliminal dos animais seja de muito superior à que se manifesta na sua vida encarnada, ao ponto de que a sua personalidade espiritual possa ter a 'vontade de se materializar', vontade indispensável numa semelhante circunstância.

Para aqueles que não se sentiriam em condição de conceder à subconsciência animal uma vontade e uma inteligência quase humanas, eu farei apreciar que se poderia resolver o enigma de uma outra maneira, isto é, acolhendo as explicações que fornecem a este respeito as personalidades mediúnicas que se comunicam e que afirmam que uma entidade desencarnada tanto humana como animal, não podendo chegar sozinha a se tornar tangível, ao se materializar, deve ter obtido o concurso de numerosos 'espíritos auxiliares'.

Oitava Categoria

Visão e Identificação de Fantasmas de Animais Mortos

A categoria das percepções de fantasmas animais é ricamente cheia de episódios variados, mas, se se propuser encará-los sob o ponto de vista rigorosamente científico, é-se levado a concluir daí que os dois primeiros grupos são os mais abundantes em casos. O primeiro trata de visões de fantasmas de animais que não foram identificados com outros animais que viveram ou morreram recentemente nos arredores, visões que se pode muito facilmente explicar pela hipótese alucinatória, embora haja exemplos nos quais os fantasmas animais foram percebidos coletiva e sucessivamente por diferentes pessoas. O outro grupo de fantasmas animais a se excluir é o das visualizações que, na maior parte, são devidas a um fenômeno de 'clarividência telepática', isto é, à leitura do pensamento na subsciência do consultante, e isso em consequência da 'relação' que se estabelece entre a subconsciência do sensitivo e a do consultante. É o que se produz, sob uma outra forma, no caso de 'psicometria' no qual o objeto apresentado ao sensitivo serve para estabelecer a 'relação' entre a subconsciência deste último e a do proprietário do objeto, o que faz com que, diante da visão subjetiva do sensitivo, surjam imagens representando fatos e acontecimentos relacionados com o dono do objeto em questão e que constituem a representação mais ou menos simbólica dos informes colhidos pelo sensitivo da subconsciência do consulente. Segue-se daí que as visões de animais mortos, quando elas se verificam em condições que permitam atribuí-las à clarividência telepática, não podem se revestir de um valor de prova de identificação animal, a menos que haja alguma circunstância secundária de natureza a corroborar esta última interpretação, circunstância que se produz bastas vezes nas consultas de que se trata. Então não pode ser mais questão de clarividência telepática propriamente dita e sim de clarividência-telepático-espírita. Este cruzar de manifestações semelhantes, com uma fonte diferente, contribui para mostrar o bom fundamento e a importância da lei metapsíquica a que fizemos alusão anteriormente, lei segundo a qual todas as formas de vidência e de mediunidade podem ser alternativamente anímicas e espíritas e isto em consequência do fato essencial de que toda manifestação supranormal, que se produz por intermédio de um espírito desencarnado, pode igualmente se produzir por intermédio de um espírito encarnado, quando este se acha em condições transitórias de desencarnação parcial do espírito, isto é, em condições leves ou profundas do sono fisiológico, sonambúlico, mediúnico ou por causa de uma crise de grave enfermidade, de síncope ou êxtase. Resulta daí que, em todas as formas de manifestações supranormais, são as circunstâncias em que os fatos se produzem que devem pôr-nos no rasto das causas pelas quais são eles engendrados e não, as diferentes formas de vidência ou mediunidade graças às quais foram obtidos, pois estas são todas equivalentes, já que são todas suscetíveis de serem espíritas ou anímicas.

Chego agora à exposição dos casos recolhidos, começando por um episódio explicável pela clarividência telepática para citar, em seguida, casos sempre menos suscetíveis desta interpretação até chegar a exemplos para os quais ela deve ser absolutamente excluída.

Caso CXVII – (Mediunidade vidente) – O sr. Paul G. Leymarie, pai, que foi diretor da *Revue Spirite*, publicou em 1900 o seguinte fato:

> No mês de janeiro de 1887, a sra. Bosc, viúva do eminente engenheiro, estava sentada perto da chaminé do nosso apartamento no número sete da rua de Lille, em Paris, quando o conde Levoff, presidente da Alta Corte de Moscou, chegando da Rússia, nos fez a primeira visita. Nós o havíamos apresentado à senhora Bosc e, enquanto eu escrevia, eles conversavam um com o outro. Em um dado momento, a senhora Bosc disse: "Percebo ao vosso lado um cão que parece ser muito ligado a vós. É um grande terra-nova branco, com as patas e as orelhas pretas e uma estrela preta na testa. Tem em torno do pescoço uma coleira de prata, fechada por uma pequena cadeia, com a inscrição Serge Levoff e o nome do cão (que a vidente citou, mas o senhor Leymarie se esqueceu). Possui uma linda cauda comprida e vos acaricia, olhando para vós".

A estas palavras os olhos do senhor Levoff se encheram de lágrimas e ele contou:

"Na minha infância eu era ágil e destro e meus pais me confiaram a guarda de meu cão, que foi exatamente descrito. Ele me salvou a vida por mais de uma vez, tirando-me das águas do rio em que estava a ponto de afogar-me. Tinha doze anos quando perdi o fiel amigo e chorei como se perdesse um irmão. Fico feliz ao saber que ele está perto de mim, com a certeza de que esses companheiros de nossas vidas tenham uma alma inteligente que sobrevive à morte do corpo e um perispírito graças ao qual podem reconstituir os seus corpos, com a coleira e a sua inscrição ainda. Posso, além disso, reconhecer na senhora um médium de grande poder, que despertou em mim recordações de há quarenta anos. Obrigado, madame, e que Deus a abençoe".

A sra. Bosc viu ainda o cão fazer grandes manifestações de alegria e depois desaparecer pouco a pouco. Ora, nós não esperávamos o conde Levoff, que a senhora via pela primeira vez, e nenhuma relação nunca existiu entre nós. Da minha parte, eu não sabia que o nome próprio do conde era Serge.

É assim que se produzem as manifestações da clarividência telepática nas suas mais simples e típicas formas que é preciso convir que, se não conhecêssemos exemplos de leitura nas subconsciências dos outros, obtidas no sonambulismo magnético, e não menos circunstanciais ou impressionantes, assim como um grande número de exemplos mais maravilhosos ainda, obtidos pela psicometria, seríamos levados a atribuir um valor objetivo aos fatos análogos ao que acabamos de expôr, mas qualquer pessoa, cujo espírito tiver garbo científico, não se deixará enganar pelas aparências e concluirá observando que, na ausência de circunstâncias colaterais contribuindo para provar a origem extrínseca da visão da sra. Bosc, precisamos encará-lo como tendo sido produzido por um fenômeno de leitura subconsciente do pensamento. Não contesto, de modo algum, o que pode ter de misterioso no fato de uma clarividência que extrai, na subconsciência de um outro, um incidente acontecido há quarenta anos antes, de preferência a tantos outros muito recentes e que, por causa de suas datas recentes, deveriam ser mais perceptíveis para as faculdades supranormais. Sim, certamente, o fato apresenta algo de inconcebível e contraditório e, no entanto, ele se realiza incontestavelmente nos casos de clarividência telepática. Só nos resta então acolher esta interpretação dos fatos, resignando-nos à nossa ignorância. Aliás, uma solução satisfatória do mistério poderia ser obtida, supondo-se que, no caso que examinamos, o assunto da conversa tenha levado, à memória do senhor Levoff, o terno episódio de sua infância, fazendo-o assim 'atual' para as faculdades penetrantes da clarividência telepática.

Caso CXVIII – (Criança vidente em tenra idade) – A *Light* publicou--o no ano de 1906, p. 387. O senhor Francis T. Harris fala do desencarne de um dos seus filhos na idade de sete anos apenas. Ele nasceu de pais saudáveis e robustos e era assim também, sem qualquer tara neuropática e, entretanto, mostrara, desde os seus primeiros anos, suas disposições para a clarividência. Conta o sr. Harris:

> Desde o primeiro período de sua vida, seus pais tinham observado que ele via coisas que não existiam para os outros, particularidade que tinha sido muitas vezes discutida pelos seus familiares. Antes mesmo que tivesse aprendido a falar, parecia muitas vezes espantado com alguma coisa de invisível. Em outros casos, porém, parecia, ao contrário, muito alegre com o que percebia e estendia os seus bracinhos para um ser que não existia senão para ele somente.
> Não havia ainda feito três anos e se divertia certo dia com os seus bonequinhos, no quarto de dormir, a dois pés de distância de seus pais, quando foi tomado de um grande medo e correu, gritando, para a sua mãe. Como ela o interrogasse, respondeu que se tinha espantado à vista de dois cães, sendo um ruço e o outro preto. Seu pai tomou-o nos braços e esforçou-se por distraí-lo e acalmá-lo, dizendo-lhe que os dois animais vieram brincar com ele.
> Alguns dias depois deu-se o mesmo incidente no mesmo aposento e nas mesmas circunstâncias e a criancinha correu para o pai, mais espantada do que nunca, à vista dos dois cães, e se refugiou nos braços paternos. Este buscou tranquilizá-la dizendo-lhe que os dois cãezinhos não lhe fariam nenhum mal e, dizendo isto os chamava assobiando, depois estalando os dedos e acariciando o ar perto deles. Isto levou o bebê a fazer outro tanto e o seu espanto não teve limites quando viu que não conseguia apalpá-los. Tudo isto, porém, teve o feliz resultado de fazer desaparecer o seu medo, e embora lhe acontecesse ver ainda os cãezinhos por muitas vezes, ele não se assustava mais.
> Ora, é preciso notar que o pai da criancinha vidente possuía dois cães *setters*, um ruço e o outro preto, que haviam morrido três anos antes.

A relação entre os fantasmas caninos aparecidos ao bebê e os cães de cores idênticas, que o pai dele possuíra, não me parece duvidosa. Ao contrário, não se poderia excluir absolutamente a hipótese de leitura no pensamento paterno por parte da criancinha, porém essa hipótese não parecerá muito verossímil se se pensar que ela se mostrara vidente desde o seu nascimento, que tinha, ao mesmo tempo, visões de natureza diferente, que não se poderia atribuir à leitura do pensamento e que os fantasmas dos cães lhe apareciam frequentemente a ponto de se tornarem familiares. Esta última circunstância é dificilmente conciliável com a hipótese de transmissão do pensamento materno ou paterno que se deveria orientar para os cães mortos cada vez que a criancinha os visse. De qualquer modo, a gênese deste caso permanece duvidosa.

Caso CXIX – (Visual) – Na obra do sr. Arthur Hill intitulada *Man is a spirit* (*O homem é um espírito*), p. 117, lê-se a seguinte narração remetida ao autor pela percipiente, sra. Janet Holt:

 Meu marido levou, certo dia, para a nossa casa, um grande cachorro buldogue e disse que esse animal lhe faria ganhar dinheiro, apresentando--o como campeão nas lutas entre os cães buldogues. Era Charles o nome desse bom e carinhoso animal de que não tardei em gostar muito. Saiu vitorioso em vários combates, porém uma vez foi derrotado e meu esposo, aborrecido com a derrota, o agarrou e atirou no rio.
 Alguns anos depois, quando quase me havia esquecido do pobre do Charles, fui acordada certa noite, de sobressalto, como se alguém me tivesse sacudido para tal fim e me vi cercada de estranha luminosidade. Sentei-me na cama e, com vivo espanto meu, percebi Charles sentado ao meu lado. Parecia em proporções normais, absolutamente igual ao que era em vida. Olhou-me com insistência durante algum tempo, depois do que, desapareceu lentamente. Na manhã do dia seguinte, meu marido foi preso. Talvez Charles tivesse se manifestado a título premonitório. (Meu marido era um tratante e eu me separei dele para sempre). Encontra-se presentemente na América do Norte.

Quão estranha e surpreendente é esta história de um cão cruel e injustamente morto por um mau dono e que se manifesta à mulher dele justamente na véspera de sua prisão, isto é, no momento em que ele iria pagar parte dos seus delitos. Todavia, e justamente por causa desta coincidência, se o episódio não pode ser explicado pela clarividência telepática, ele pode ser encarado sob um outro ponto de vista que é o da sobrevivência da psique animal. Com efeito, parece que se pode reduzi-lo a um episódio de visão simbólico-premonitória e, neste caso, a aparição do fantasma do animal, sacrificado por aquele que se iria prender, não seria de natureza objetiva, mas constituiria um símbolo transmitido telepaticamente por uma entidade espiritual humana, unida por laços afetivos à percipiente.

Uma variação desta mesma explicação consistiria em supor que a entidade espiritual em apreço estaria, ao contrário, disposta a ajudar o espírito do cão a se manifestar objetivamente à percipiente, sempre a título simbólico-premonitório e, neste caso agora, o fantasma do cão conservaria a sua identidade espiritual.

Como quer que seja, e qual que seja a explicação que se prefira dar ao problema, certo é que o fato supracitado não apresenta teoricamente nenhuma base suficiente para permitir que nos pronunciemos solidamente a respeito de sua origem.

Casos CXX e CXXI – (Visual-auditivo-coletivo) – O conde de Tromelin, pessoa conhecida no meio das pesquisas metapsíquicas, autor de duas obras sobre estas questões, comunicou à *Revue Scientifique et Morale du Spiritisme* (1913, p. 40), os dois seguintes casos que lhe dizem respeito:

> Até o mês de março deste ano de 1913, eu possuía uma bela cadela chamada Flore, da qual nasceu um filhote de nome Radium, parecido com a mãe, porém tinha esta, além do mais, uma estrela branca na testa. Fora isto, o pelo de ambos era completamente amarelo.
>
> A 25 de março, um automóvel passou sobre o corpo de Flore, que me foi levada, agonizante, à vila, mas, apesar de nossos desvelados cuidados, o pobre animal não tardou a morrer, com grande pesar nosso. Seu filho Radium ficou sozinho na vila. Eis o curioso incidente a que tive ocasião de assistir no outro dia.
>
> Há, diante de minha pequena mansão, um grande terraço no meio do qual está uma mesa de mármore e, à direita, na entrada, o nicho de Radium. No dia três de abril, às 11 horas da manhã, estava sentado a essa mesa, conversando com a sra. Meille. Achava-me colocado de forma que tinha diante de mim o nicho de Radium, cujas patas amarelas saíam da abertura, e a sra. Meille, de costas voltadas para o mesmo, olhando para o lado esquerdo do terraço. Conversamos durante cinco minutos sobre indiferentes coisas quando vi a sra. Meille virar-se um instante para olhar o nicho de Radium e, em seguida, exclamar: "Que

coisa extraordinária! É bem Flore, no momento em que Radium está no seu nicho".

Pedi uma explicação para estas palavras, observando: "Sim, Radium está no seu nicho, mas onde é que você vê Flore?"

A sra. Meille estendeu um braço, indicando o lugar, e precisando o fato com estas palavras que escrevi: "Enquanto conversávamos, observava um cão deitado no lado esquerdo do terraço. Lá (e ela apontou com o dedo), eu supunha ser Radium, não imaginando certamente ter diante de mim a pobre da Flore, que sabia estar morta. Entretanto, Radium era de tal modo parecido com Flore que eu pensei: 'Se eu não soubesse que Flore morreu, juraria que o cão que me olha é realmente Flore'. Com efeito, a ilusão era completa porque o animal me olhava com a expressão tão boa, meiga, melancólica, de Flore, e tinha na testa a sua estrela branca, mas eu estava muito longe de pensar seriamente em Flore ressuscitada, pois pensava que a estrela branca que eu via era um efeito de luz. Eu me perguntava, além disso, como Radium, que tinha o hábito de deitar-se sempre ao sol, estava, desta vez, deitado na sombra. Eis, porém, que, enquanto refletia assim, ouvi detrás de mim o ruído característico de um cão que se agacha no seu nicho. Foi então que me virei um instante para olhar, para voltar imediatamente o meu olhar para o outro cão que estava diante de mim há cinco minutos, mas ele havia desaparecido no breve intervalo de tempo em que me voltara, daí a minha exclamação de espanto. Tive a prova de que esse cão, que me olhava, deitado na sombra, diante de mim, e que se assemelhava muito à Flore, era realmente Flore ressuscitada, voltada um instante para nós".

Tal foi a narração da sra. Meille e é bem provável que, se eu me virasse no momento em que Flore era visível para ela, eu a teria percebido também. Em todo o caso, parece-me que as circunstâncias nas quais os fatos se passaram sejam de natureza a fazer considerar do mesmo modo como autêntica e certa a aparição de Flore.

Este fato não é isolado. Eu possuía uma outra cadela *fox-terrier*, chamada Flore como a precedente, morta envenenada, depois de longos sofrimentos, por um mau vizinho. Aqueles que me conhecem sabem que, quando me deito, à noite, tenho visões e percebo fantasmas de toda sorte, que desfilam diante de mim. Isto acontece quando estou completamente acordado e de posse de minha consciência normal.

Ora, na manhã da morte da outra Flore, ela me apareceu subitamente: era indubitavelmente ela, todavia, nessa primeira visão, esforçou-se, em vão, por se levantar sobre as patas.

De manhã, com outras visões, Flore me apareceu pela segunda vez e conseguia manter-se sobre as patas para desaparecer logo em seguida. No terceiro dia, a mesma aparição se repetiu. Desta vez alegre e sã. Deu alguns saltos de alegria e desapareceu. Em seguida não a vi mais, mas, algum tempo depois, em certa noite, ela se manifestou bem ruidosamente, fazendo-se ouvir em uma diversão toda especial de que gostava muito e que era então muito indicada para se fazer reconhecer. O traço característico mais saliente de Flore era a sua paixão de brincar com seixos que nós lhe lançávamos e que ela nos devolvia, para em seguida fazermos rolar ruidosamente pelo terraço e outros lugares. Ora, foi o ruído produzido por esse jogo de pedras, rolando no chão do terraço, que percebemos nitidamente certa vez a ponto de que seríamos capazes de jurar que Flore estava lá a se divertir em rolar os seixos se não soubéssemos que a cadela havia morrido há seis meses.

Concluo daí que, provavelmente, os animais domésticos que amamos sobrevivem à morte do corpo e que nós voltaremos a vê-los um dia no mundo espiritual, no qual acredito firmemente.

Tais são as conclusões do conde de Tromelin. No segundo dos episódios citados, as visões subjetivas do narrador não se revestem por si mesmas de nenhum valor probante, porque recordam muito de perto a bem conhecida classe das alucinações 'hipnagógicas' e 'hipnopômpicas', mas é inteiramente diferente para o outro fenômeno auditivo subjetivo do ruído característico imitando pedras rolando no terraço, de acordo com o jogo favorito da cadelinha morta. Essa manifestação supranormal corresponde a outros fenômenos análogos de origem humana, nos casos de telepatia entre vivos ou entre vivos e mortos. Quando essas manifestações se realizam entre vivos e mortos, elas constituem uma boa prova em favor da identificação pessoal do morto que elas caracterizam, e isto em virtude da contraprova de que, quando esses mesmos fenômenos de audição telepática se produzem entre vivos, verifica-se que eles são verídicos no sentido de que correspondem a uma ação real ou a uma ideação autêntica do agente. Se assim é para as manifestações humanas, não se poderia repelir a mesma conclusão para as manifestações animais, quando estas se acham em perfeita relação com as idiossincrasias que caracterizam o animal, quando vivo. Sem dúvida, do ponto de vista rigorosamente científico, uma prova isolada desta natureza não poderia bastar para legitimar uma conclusão definitiva favorável à identificação pessoal do morto, no entanto ela é considerada como uma boa prova auxiliar convergente para esta demonstração. Isto já representaria uma concessão de valor em nosso ponto de vista da identificação animal.

Caso CXXII – (Visual-auditivo) – A revista espírita *Light* (Luz) publicou em 1921, p. 594, a seguinte comunicação do sr. Ernest W. Duxbury:

O problema da sobrevivência da psique animal não pode ser cientificamente resolvido senão se reunindo um número suficiente de fatos bem verificados que forneçam a prova dessa sobrevivência. As discussões filosóficas não mudam nada as coisas.

O incidente que relato é de data recente e eu só me decido a publicá-lo porque estou bem certo de sua autenticidade, quaisquer que sejam as conclusões que se possam tirar dele. Aconteceu com uma dama das minhas amizades e dotada de faculdades mediúnicas, embora nunca se tenha preocupado em desenvolvê-las. Acrescento que conheço pessoalmente as circunstâncias que levaram a referida senhora ao meio em que o fato aconteceu. A narração que reproduzo foi escrita e assinada pela mesma, cujo nome só posso indicar pelas iniciais N. Y. Z. Eis o que ela escreveu:

"Tendo chegado subitamente do estrangeiro, tive necessidade de alugar um quarto mobiliado numa velha casa de Londres e não tardei em me aperceber de que estava infestado de ratos que ali produziam, durante a noite, ruídos de todas as espécies, correndo pelo assoalho e lançando gritos estridentes. Para me proteger desses hóspedes tão indesejáveis, arranjei emprestada uma bela gata que me pareceu logo feliz em se achar na minha companhia. Gosto muito da raça felina e a dita gata correspondia bem à minha afeição; dormia na minha cama e colocava as suas patas dianteiras em torno do meu pescoço, roncando tão forte que me impedia de dormir. Infelizmente a gata ficou doente e, em um certo dia, entrando no meu aposento, às dez horas, encontrei-a morta, para grande e dolorosa surpresa minha.

"Nessa mesma noite, os ratos recomeçaram os seus divertimentos e eu resolvi acender o gás e me pôr a ler, não ousando dormir com tal companhia, mas o depósito do contador do gás estava quase esgotado e às três horas a chama se extinguiu. Acendi então a lamparina e me meti debaixo das cobertas, porque a presença dos pequenos roedores me causava aborrecimento e medo. De repente, ouvi a gata roncar ruidosamente. Escutei durante cerca de um minuto, depois do que resolvi levantar a cabeça e olhar para então observar um estranho fato: vi, diante da parede aderente a um lado da cama, ao nível de minha cabeça, uma espécie de disco opaco, do diâmetro de uma gata branca e preta, absolutamente igual à que acabara de morrer. Olhou-me, fazendo várias vezes um movimento de cabeça da maneira característica da gata morta, em seguida o seu corpo se tornou transparente durante alguns segundos para logo tomar uma forma opaca mais consistente do que a anterior e então vi a gata olhar para o alto como se lá houvesse alguém. A aparição era tão real que eu dirigi a palavra à gata como se ela estivesse viva, mas, repentinamente, desapareceu. Em seu todo, o fenômeno foi de curta duração, porém, durante a noite inteira, não fui mais incomodada pelos ratos, embora não conseguisse dormir, senão a longos intervalos.

"Não havia nenhuma possibilidade de outro gato entrar no meu quarto, porque a porta e as janelas estavam bem fechadas, além do que, ao romper da manhã, não achei nenhum gato vivo nele. Quando o fenômeno aconteceu, eu não havia ainda adormecido e estava perfeitamente consciente de me achar acordada."

No caso que acabo de reproduzir, a descrição de um disco opaco que toma, pouco a pouco, a forma da gata morta recorda de muito perto o processo normal das materializações mediúnicas e, como o sr. Duxbury, ao comunicar à *Light* esta narração, teve o cuidado de observar que a senhora deste caso possuía faculdades mediúnicas, é completamente aceitável que ela tivesse assistido realmente a uma sessão de materialização de animal. A outra circunstância de que "os ratos não mais se moveram, a noite inteira" testemunharia em favor desta interpretação, porque mostraria que os roedores perceberam, de algum modo, o fenômeno supranormal e ficaram espantados. Se se trata, então, de um caso de pura e simples alucinação, os ratos não teriam experimentado os efeitos dela e teriam continuado a correr pelo chão.

Caso CXXIII – (Mediúnico) – Neste outro episódio, que parece explicável, em princípio, pela hipótese da clarividência telepática, encontra-se uma circunstância secundária, dando a supor, razoavelmente, que pode tratar-se, ao contrário, de clarividência telepático-espírita. Reproduzo-o do vol. III, p. 130, dos *Proceedings of the Society for Psychical Research*. Ele faz parte do relatório do dr. Hodgson sobre as experiências com a sra. Piper. O sr. J. Rogers Reach escreve a respeito de suas próprias experiências o seguinte:

Entreguei em seguida à médium uma coleira de cachorro. Depois de tê-la apalpado durante algum tempo, o dr. Phinuit, guia espiritual da sra. Piper, declarou que a coleira pertencera a um cão do qual fui dono. Perguntei-lhe então se, na esfera espiritual, onde ele se encontrava, havia cães e me respondeu que havia milhares deles. E acrescentou que procuraria atrair a atenção de meu cão por meio de sua coleira. Quando conversávamos, ele se interrompeu para me dizer: "Eis que vem ele! Penso que já sabe que estais comigo porque o vejo vir de muito longe". Descreveu-me então o animal ao qual me referia, descrição que correspondia exatamente à do meu cão, de raça *collie*. Terminou dizendo-me: "Chame-o agora, sr. Reach". Emiti um assobio pelo qual tinha o costume de chamá-lo e Phinuit exclamou: "Eis que ele chega! Como corre! Como voa! Está agora presente e pula alegremente em torno de vós. Como está feliz em vos rever! Rover! Rover! Não. Grover! Grover! É o seu nome".

Com efeito, o cão se chamava Rover, mas em 1884, mudei o seu nome para o de Grover como recordação da eleição do presidente Grover Cleveland.

Esse incidente, por si mesmo, não contém nenhuma circunstância que possa distingui-lo dos habituais casos de clarividência telepática, mas eis um incidente colateral que leva, ao contrário, a classificá-lo entre os casos telepático-espíritas. O narrador continua assim:

Entre um grande número de coisas que o doutor Phinuit me revelou, há esta: disse-me que estava constantemente perto de mim um bebê que exercia grande influência sobre a minha pessoa, que ele me era ligado por estreito parentesco, que se tratava de uma irmãzinha. Respondi-lhe que não tinha nem nunca tivera nenhuma irmã, mas ele replicou: "Previa a vossa resposta, eu sabia muito bem que ninguém nunca vos falou de vossa falecida irmãzinha. Trata-se de uma criança natimorta. Isso se deu vários anos antes de vossa vinda ao mundo terreno. Quando chegar em casa, perguntai à vossa tia". Não deixei de fazê-lo e soube assim, com grande espanto meu, que Phinuit havia dito a verdade. Minha tia me revelou que, quando vim ao mundo, o caso da criança natimorta estava esquecido e nunca houve motivo para que me falassem disto. Ora, esta minha ignorância absoluta a respeito demonstra muito bem que dita comunicação não podia ser explicada por leitura do pensamento.

Se o segundo episódio não pode ser explicado pela hipótese da leitura de pensamento subconsciente pela boa razão de que o consulente ignorara sempre o fato revelado por Phinuit e que não podia haver então, na sua subconsciência, traços mnemônicos correspondendo ao fato em questão, se assim é, então há toda razão para crer que o primeiro episódio comunicado pela mesma personalidade mediúnica, com o mesmo médium, na mesma sessão, tinha igualmente origem extrínseca ou espírita.

Caso CXXIV – (Visual-sonambúlico) – Passando agora à exposição dos casos que não são mais explicados pela clarividência telepática, começo por um curioso fato que se verificou no sonambulismo magnético e que reproduzo do livro de Adolphe d'Assier *L'humanité posthume* (*A humanidade póstuma*), p. 83. Escreve este autor:

> Para o fim do ano de 1869, achando-me em Bordeaux, encontrei certo dia um amigo que se dirigia para uma sessão de magnetismo e ele me convidou para eu ir na sua companhia. Aceitei o convite, desejoso que estava de ver de perto os fenômenos magnéticos que só conhecia de nome. A sessão não apresentou nada de notável, pois foi a repetição do que se obtém ordinariamente nessas circunstâncias. Uma moça servia de sonâmbula e, a julgar pela maneira com que respondia às perguntas formuladas pelos assistentes, devia ser bem clarividente. Entretanto o que mais me surpreendeu no decurso dessa sessão foi um incidente imprevisto. Pelo meio da tarde, uma das pessoas que assistiam às experiências, tendo avistado uma aranha no assoalho, a esmagou com o pé. Imediatamente a sonâmbula exclamou: "Vejam, vejam! Percebo o espírito de uma aranha que se vai!" Sabe-se que, na linguagem do médium, a palavra espírito indica o que eu chamo de 'fantasma póstumo'. O magnetizador perguntou: "Sob qual forma a vê?" A sonâmbula respondeu: "Sob a forma de uma aranha mesmo".
>
> Desde aquele tempo, eu não sabia o que pensar desse estranho incidente. Não duvidava da lucidez da sonâmbula, porém, como não acreditava em nenhuma manifestação póstuma humana, era natural que não a admitisse também para os animais. A explicação do misterioso incidente me pareceu clara vários anos depois, quando, tendo obtido a certeza do desdobramento humano, eu me empenhara em descobrir fenômeno análogo no meio dos animais domésticos. Em resultado das minhas investigações, fiquei convencido de que a sonâmbula de Bordeaux não fora vítima de qualquer alucinação, como acontece algumas

vezes nas experiências magnéticas, e que ela tinha observado um fenômeno objetivo e real.

O incidente exposto é certamente notável e a circunstância de que ele aconteceu de uma maneira inesperada contribui para estabelecer a autenticidade supranormal do fato. Se se conseguir reunir um número suficiente de incidentes desta espécie, tomando as precauções necessárias para evitar a possibilidade de uma transmissão telepática do pensamento do experimentador à sonâmbula, ter-se-á dado assim um grande passo para a demonstração científica da existência de um perispírito animal, absolutamente análogo ao humano. É mesmo de espantar que ninguém tenha tentado, até aqui, repetir uma experiência que, na verdade, é fácil, pois que qualquer experimentador pode tentá-la.[4] Ao contrário, o incidente exposto continua, até o momento, quase único. Lembro-me apenas de que algo de semelhante aconteceu, certa vez, durante uma das sessões com o médium Daniel Dunglas Home, mas a obra que contém a narração do incidente é incontrolável e devo limitar-me a reproduzir estas poucas linhas que extraio de um artigo da revista *Light* (1907, p. 311):

> No livro publicado pelo conde de Dunraven, não posto à venda e só remetido a um pequeno número de amigos seus, acha-se a ata de uma sessão na qual Daniel Dunglas Home, então em transe, diz perceber o espírito de um cãozinho, bem conhecido de um dos assistentes. Ora, naquele instante, o animal morria e o médium vira o espírito dele quando deixava o corpo.

Caso CXXV – (Visual) – Foi publicado dos *Proceedings of the Society for Psychical Research* e a sra. Gordon Jones narra o seguinte:

> Sempre tive uma grande aversão pelos gatos, aversão que herdei de meu pai, que não suportava a presença deles. Nunca os tolerei na minha casa até o dia em que ela foi invadida por um bando de ratos. Fui buscar um gato comum cujo pelo era riscado de listras cinzas e pretas, mas nunca me ocupei com ele e nunca permiti que subisse até o andar superior da casa.

---

[4] No capítulo vinte e dois do meu livro *Casos e coisas espíritas*, narro casos de experiências feitas com animais, que, na iminência da morte ou nesta, mostram uma 'forma espiritual' semelhante ao seu corpo físico. Foram feitas depois deste livro de Bozzano, publicado em 1929. (N.T.)

Certo dia foi-me dito que o gato estava com raiva e foi pedida a minha autorização para que o suprimisse, afogando-o. Não tive a força moral para ir certificar-me de que a informação era verdadeira e, sem mais, concedi a permissão. Pouco depois, foi-me comunicado que o criado da cozinha afogara o gato numa caldeira. Como jamais gostei do animal e não era meu companheiro habitual, seu desaparecimento me deixou indiferente.

Na tarde do mesmo dia em que o gato foi morto, encontrava-me sozinha na sala de jantar mergulhada na leitura (estou bem certa de que não pensava em gatos, nem em fantasmas), quando de repente tive o impulso de levantar os olhos e de olhar para o lado da porta. Vi, ou acreditei ver, que a porta se abria lentamente, deixando entrar o gato sacrificado de manhã. Era ele mesmo, não havia dúvida alguma, mas parecia ter emagrecido e estar todo molhado e pingando água. Apenas a expressão do seu olhar não era mais a mesma, porque me olhava com olhos humanos tão tristes que me causaram pena. Seu olhar me ficou gravado na memória como uma obsessão. Estava tão certa do que via que não duvidei de me achar na presença do gato real, escapado do afogamento. Toquei a campainha chamando a camareira e, logo que ela se apresentou, eu lhe disse: "Há um gato ali, leve-o para fora". Parecia-me impossível que a doméstica não pudesse ver o gato, porque eu o via tão nítido e sólido quanto a mesa e as cadeiras, mas ela me olhou espantada e me disse: "Madame, eu estava presente quando William levou o gato já morto para o jardim a fim de enterrá-lo". "Mas ele está lá, acrescentei, não vê, perto da porta?" A camareira não via nada e, pouco depois, o gato começou a tornar-se transparente e a desaparecer lentamente, tão bem que eu acabei por não o ver mais.

É claro que a hipótese da clarividência telepática não poderia ser aplicada ao caso que acaba de ser reproduzido. Ao contrário, entre as hipóteses às quais se poderiam recorrer para explicá-lo, há a alucinatória, que teria parecido bem menos legítima se a camareira tivesse tido a mesma visão que a patroa. Entretanto, se se pensar que a sra. Gordon Jones afirma que estava indiferente à morte do gato que, ao contrário, lhe inspirava um sentimento de aversão (o que faria afastar a principal condição predisponente às visões alucinatórias, isto é, o estado emotivo); se se considerar, de outra parte, que, quando o gato apareceu, a referida senhora estava mergulhada na leitura (o que excluiria que ela pensasse no momento no animal morto) e, sobretudo, se se levar em consideração que ela experimentou um impulso súbito e injustificado para levantar os olhos e olhar para o lado da porta, onde a aparição justamente se produziu (circunstância que caracteriza as manifestações realmente telepáticas tanto quando elas se produzem entre as pessoas vivas como quando se verificam entre os vivos e os mortos). Se se observar este conjunto de circunstâncias, concluir-se--á que o fantasma do gato aparecido a essa senhora consistia numa manifestação telepático-espírita, cujo agente era o animal sacrificado há algumas horas.

Caso CXXVI – (Animal vidente) – O sr. James Coates, autor do notável livro *Photographing the invisible* (*Fotografando o invisível*), enviou à *Light* (1915, p. 337), o seguinte episódio canino:

> Eu possuía um cachorro pomerâneo chamado Tobby, nosso grande favorito, que havíamos levado conosco para Rthsay, em 1893. Cerca de dois anos depois, durante nossa ausência da casa, Tobby foi terrivelmente maltratado por um cão da vizinhança e não tardou a morrer das complicações sobrevindas. Depois de um mês, ou talvez seis semanas, recebi de presente uma cadela *fox-terrier* chamada Katie, e eis o estranho fato a que então assistimos. Durante várias semanas, ela não ousou se aproximar do canto da cozinha onde Tobby tinha o costume de deitar-se e, sempre, quando entrava na cozinha, latia furiosamente naquela direção, tal como se ela visse ali um outro cão.
>
> Li, ou ouvi contar, outros fatos de cães que vêem fantasmas, que latem para eles e que se espantam. Em todo o caso, a minha Katie, durante várias semanas, manteve uma atitude como se ela visse Tobby e tivesse se espantado. Como explicar de outro modo a circunstância de não ousar aproximar-se e ainda menos deitar-se no canto da cozinha que Tobby tinha escolhido para seu leito favorito, quando vivo?
>
> Entre as boas provas aventadas para provar a sobrevivência da alma humana, registra-se a tirada das faculdades clarividentes de que o homem é dotado, observando-se, com efeito, que essas faculdades vão além de toda visão terrestre e não dependem do exercício das faculdades sensoriais. Ora, se está provado que os cães possuem, por sua vez, faculdades clarividentes, qual consequência devemos tirar delas? Limito-me a responder assim: o que constitui uma boa demonstração em favor da sobrevivência humana só pode constituir também uma boa demonstração relativamente à sobrevivência animal.

A rigor, este caso deveria ser considerado antes como fraco ponto de vista probante. Com efeito, ninguém partilhou, com o animal, das mesmas impressões supranormais, ninguém saberia dizer positivamente o que a cadela via no canto da cozinha, mas, embora não perdendo tudo isto de vista, de acordo com os métodos das pesquisas científicas, acrescentarei que há situações que não permitem interpretação múltipla a respeito do mesmo fato e que, por conseguinte, autorizem a que se chegue a uma conclusão, de uma maneira bastante precisa, mesmo na falta de testemunhas diretas. É o que me parece acontecer no fato em questão. Com efeito, se a cadela latia furiosamente e sem parar para o mesmo canto da cozinha, onde tinha o hábito de deitar-se o animal morto, demonstrando bastante medo para não ousar aproximar-se dele e mesmo de deitar-se lá, isto significa que ela agia como um cão qualquer que se acha na presença de um homem ou de um animal que ele não conhece. Em tais condições, que se poderia deduzir daí fora da conclusão lógica de que, naquele canto, percebia ela o fantasma do cão morto? Sem dúvida, esta conclusão pareceria bem audaciosa se não se conhecesse algum exemplo de visões de fantasmas por parte de animais. Já que esses exemplos são, ao contrário, frequentes e cientificamente constatados, nada impede que, pela lei das analogias, se possa explicar, da mesma maneira, o fato relatado pelo sr. James Coates.

Caso CXXVII – (Auditivo-coletivo) – Está consignado em um artigo publicado na *Light* (1915, p. 215) pelo rev. Charles L. Tweedale, autor de diferentes obras muito interessantes sobre assuntos metapsíquicos. Ele conta entre outras coisas o seguinte:

> Há cerca de dois anos (registrei o acontecimento na minha agenda), minha esposa e a aia estavam sentadas, certa tarde, conversando num quartinho da casa. De repente, ouviram o roncar barulhento de um gato, perto da sra. Tweedale. Ambas localizaram o ruído num lugar preciso, isto é, junto da saia de minha mulher. Ele se prolongou por algum tempo, depois cessou e começou-se a ouvir nitidamente, no seu lugar, o ruído delicado que produz a língua de um gato quando lambe o leite. Não sabendo o que pensar, a sra. Tweedale chamou, em vão, pelo gato da casa e, em seguida, ajudada pela aia, vasculhou minuciosamente a peça, porém inutilmente. Sentaram-se e recomeçaram a conversa. Mas, quase imediatamente, se fez ouvir o roncar barulhento do gato invisível ao qual sucedeu ainda o outro som de uma língua de gato que lambe um líquido. Vasculharam novamente o quarto, mas sempre em vão.
>
> Devo observar que, já há alguns dias, o nosso gato havia desaparecido. Quando a sra. Tweedale e a aia vieram me contar o que se tinha

passado, eu lhes disse: "Isto significa que nunca mais veremos o nosso gato vivo". E assim aconteceu: o pobre do nosso animal tivera o mesmo fim que um grande número de gatos nessas regiões em que eles são mortos maldosamente.

Neste exemplo, a manifestação supranormal é puramente auditiva, o que não diminui, de modo algum, o valor teórico do incidente, que é notável por causa de sua natureza coletiva. Com efeito, a circunstância de que duas pessoas tiveram, ao mesmo tempo, as mesmas impressões auditivas, localizando-as exatamente no mesmo ponto, é uma garantia da veracidade supranormal do incidente. De outra parte, é difícil duvidar da relação entre causa e efeito, isto é, entre o desaparecimento e a morte do gato da casa e a manifestação supranormal que se verificou na casa do rev. Tweedale. Pode-se perguntar se o fato deve ser considerado como uma manifestação telepático-espírita (isto é, *post-mortem*) ou propriamente um caso telepático no momento da morte, sendo esta dúvida legitimada pela falta de indicação a respeito do instante em que o gato desaparecido foi morto. Entretanto, como o gato sumira da casa já há alguns dias e que é de se presumir que tenha sido morto no dia seguinte ao seu desaparecimento, isto tornaria mais verossímil a explicação telepático-espírita do presente caso.

Caso CXXVIII – (Visual-coletivo) – Colho-o no *Journal of the Society for Psychical Research* (vol. XV, p. 249). Trata-se de um caso rigorosamente documentado e que foi remetido à *Society* durante a semana em que o mesmo se verificou. Escreve a srta. B. J. Green:

> Minha irmã H. J. Green tinha uma gata de que gostava muito. Era de raça persa puro-sangue, pelo cinza-azulado característico, pequenas proporções, e seu nome era Smoky. Não havia na aldeia outro gato da mesma raça ou que apenas se lhe assemelhasse. Durante a primavera, ela caiu doente e morreu pelo meio de junho de 1909. O jardineiro a enterrou numa platibanda do jardim, plantando no seu túmulo um pé de dália. Algum tempo antes da morte dela, a gata fora atacada e maltratada por um cachorro que lhe tinha quebrado algumas costelas. Em consequência desse incidente, ela caminhava coxeando com o corpo curvado e a sua morte foi resultado das feridas recebidas.
> Terça-feira, seis de julho de 1909, achava-me sentada à mesa, almoçando com a minha irmã e lendo, em voz alta, uma carta. Tinha as costas voltadas para a janela, que estava à direita de minha irmã.

De repente vi que ela olhava para fora da janela, com uma expressão de espanto quase misturada à de medo e perguntei-lhe: "Que é que há?", e ela me respondeu: "Vejo a Smoky, que anda no meio do mato". Precipitamo-nos para a janela e percebemos efetivamente a Smoky, que parecia muito doente, tinha o pelo eriçado e os olhos assustados. Caminhava coxeando através da platibanda defronte da janela, a três ou quatro metros de nós. Minha irmã chamou por ela, mas, como a gata não parecia ouvir, correu para ela, continuando a chamá-la. Permaneci na janela e vi a gata se encaminhar para um alameda que conduzia ao fundo do jardim. Minha irmã seguiu-a chamando sempre por ela, mas, para grande espanto seu, a Smoky não se voltou nunca, como se não ouvisse nada e, em um dado momento, meteu-se dentro de uma moita e a minha irmã não a viu mais. Depois de uns dez minutos, a minha irmã e uma amiga, que se hospedara por algum tempo em nossa casa, viram novamente a Smoky que caminhava na relva bem defronte da janela. Minha irmã saiu para encontrar-se com ela, mas não a viu mais. Depois de meia hora, a gata apareceu no corredor que leva à cozinha e foi vista pela empregada, que apanhou uma vasilha de leite e foi em sua direção para dar-lhe de beber, mas a gata continuou o seu caminho e saiu no jardim, desaparecendo diante dela.

A consequência dessas visões foi que nós fomos interrogados se não houvera algum equívoco a respeito da morte da gata, embora a nossa amiga, o jardineiro e uma jovem doméstica tivessem visto seu cadáver. O jardineiro ficou mesmo tão indignado com a suspeita de que não havia enterrado o cadáver que foi na sepultura, arrancou a dália e exumou o cadáver de Smoky.

Nós não sabemos o que pensar desse acontecimento, que teve quatro testemunhas: srta. B. J. Green, srta. H. L. Green, srta. Smith e Kathleen B. (a empregada). Minha irmã contou que, quando ela seguiu a gata na primeira vez, ela caminhava muito depressa, mas capengando de um lado, como fazia antes de sua morte.

(Numa carta consecutiva, a srta. B. J. Green, falando sobre a segunda vez em que a sua irmã seguiu a gata, escreve: "A gata não pulou o muro da cerca, mas desapareceu quando se achava perto desse muro").

O caso precedente é muito interessante e significativo, primeiramente por causa da natureza incontestável do fato, em seguida porque o fantasma foi visto por quatro pessoas, em momentos diferentes, o que exclui a hipótese alucinatória pura e simples. Considerando este caso, duas únicas hipóteses podem explicá-lo: a primeira consistiria em supor que se tratava da visão de uma gata viva que teria sido tomada pela gata morta; a segunda seria a hipótese telepático-espírita.

Os animais têm alma? | 141

Referi-me à primeira explicação por simples dever de relator, porque os nossos leitores já terão notado que esta suposição não se sustenta diante da análise das circunstâncias. Primeiramente porque, no caso em questão, se tratava de uma gata exótica, única no seu gênero, no meio onde o acontecimento se produziu, e caracterizada por um pelo que é especial nos gatos persas, circunstâncias todas que tornam absurdo presumir que quatro pessoas, em plena luz do dia, pudessem se enganar na identificação. Em seguida, porque foi notado que a gata aparecida caminhava capengando, precisamente como o animal morto. Em terceiro lugar, porque a gata-fantasma não deu nunca sinal de perceber as pessoas que a chamavam, o que não se daria se fosse uma gata viva e que, ao contrário, constitui o traço característico da maior parte dos fantasmas telepáticos e telepático-espíritas, que não têm consciência do meio em que se encontram. Enfim, é preciso não esquecer que o pequeno fantasma desapareceu várias vezes diante dos percipientes, de modo súbito e inexplicável. Não acrescento outra coisa porque o que acabo de dizer basta para provar que a hipótese da visão de uma gata viva, que quatro pessoas teriam tomado pela gata morta, não se sustenta em face do exame dos fatos. Fica-se, portanto, obrigado a concluir que o presente episódio é realmente um autêntico exemplo de aparição do fantasma de um animal morto.

Caso CXXIX – (Visual-auditivo-coletivo) – Trata-se de um caso publicado também na *Light*, de Londres (1911, p. 101). O rev. Charles L. Tweedale, do qual já tivemos ocasião de reproduzir uma narração, comunicou este outro fato que, como o primeiro, aconteceu na casa dele, onde manifestações supranormais impressionantes se desenrolaram por mais de um ano. Escreve ele:

> Nestes últimos cinco meses, assistimos às mais extraordinárias manifestações espontâneas que ultrapassam de muito as manifestações históricas ocorridas no presbitério do rev. Wesley. Todos nós temos escutado ultimamente uma 'voz direta' que nos chamava pelos nossos nomes, em pleno dia, e assistido às aparições repetidas de um fantasma feminino de alto porte, vestido de branco e que todos os membros da família puderam ver, exceto eu, que pude, entretanto, ouvir a voz dele soar maravilhosamente distinta, como se ela viesse do ar e na presença da família inteira. A aparição foi vista várias vezes, coletivamente, por diversas pessoas, quase sempre com boa claridade

e algumas vezes em plena luz do dia. Por duas vezes o fantasma dialogou com os presentes.

Há uns quinze dias, essas maravilhosas manifestações atingiram o apogeu com a aparição, em pleno dia, de um fantasma vestido de branco acompanhado de um cão. Numa tardinha, eles foram vistos juntos duas vezes e por diferentes pessoas sucessivamente e sempre nessa mesma tardinha o cão foi visto três vezes sozinho e uma vez quatro pessoas o viram coletivamente, entre elas uma criancinha de dois anos que correu atrás do cão-fantasma até debaixo da cama, onde ele desapareceu, gritando: "Buh! Buh!". Repito que tudo isto se passou em plena claridade do dia. Depois, o tal cão foi visto várias outras vezes até estes últimos dias.

Todos os que o viram estão de acordo em descrever um cão *fox-terrier* alto, branco, com uma grande mancha preta irregular no dorso, orelhas retas e curtas, cauda inteira. Observou-se, além disso, que ele parecia sacudido por um forte tremor em todo o corpo e que o pelo de sua pele era mais curto e mais brilhante do que de hábito. Ora, esta descrição corresponde exatamente à de um cão que me pertencia e que é morto há quase doze anos mais ou menos. Tinha-me quase esquecido da existência dele. Nenhuma das pessoas que o descreveram o tinham conhecido quando vivo e não tinham sabido mesmo que ele existia. Minha tia (pois que é o seu fantasma que se manifesta) é morta há seis anos e tinha muita amizade pelo cão, que a acompanha. É de observar que, como disse há pouco, o meu cão era caracterizado por uma exuberância de vitalidade que se manifestava por um violento tremor que sacudia o seu corpo inteiro cada vez que se despertava a sua atenção. Tinha, além disto, uma grande mancha irregular no dorso, precisamente do lado direito da espinha dorsal. Não esqueçamos que todos estes detalhes verídicos eram absolutamente ignorados por todos os que o viram e descreveram o fantasma do cão.

Recordo também que, antes de sua manifestação, foram ouvidos latidos e rosnados característicos que se produziam no mesmo momento em que o fantasma feminino aparecia, mas, como nenhum de nós tinha visto ainda animais fantasmas, essas manifestações auditivas foram para nós inexplicáveis até o dia em que a aparição do cão veio esclarecer o mistério.

A significação teórica deste memorável acontecimento se mostra de um modo bem claro, isto é, que ele tende a provar o que logicamente se devia presumir: que o espírito de um cão, como o de sua dona, podem sobreviver à morte do corpo.

Neste exemplo, é preciso, sobretudo, recordar a seguinte circunstância: que o fantasma canino foi visto várias vezes, quer coletivamente, quer sucessivamente, em plena luz do dia; que ele certa vez foi visto por um bebê de dois anos que correu atrás dele até debaixo da cama, gritando, com a inocência de sua idade, Buh!Buh!; que ele foi descrito, tal como era, por pessoas que não o tinham conhecido quando vivo, e, finalmente, que, antes da manifestação do fantasma canino, foram ouvidos latidos e rosnados característicos do animal, circunstâncias todas que contribuem para excluir, absolutamente, a hipótese alucinatória pura e simples e que servem, ao contrário, para demonstrar a natureza supranormal e extrínseca da aparição.

Segue-se daí que as conclusões do rev. Tweedale parecem se sobressair incontestavelmente dos fatos, tanto mais que a aparição do fantasma canino não pode ser encarada separadamente da aparição do fantasma feminino que o acompanhava durante o período memorável de manifestações espontâneas descritas em um longo relatório do rev. Tweedale. É, pois, racional pensar que, se a identificação do fantasma feminino com a falecida tia do clérigo citado deve ser considerada como uma boa prova em favor da sobrevivência do espírito desta, não se pode concluir, de outro modo, para o fantasma canino, que foi por sua vez identificado.

Caso CXXX – (Visual-coletivo) – O sr. James Coates, do qual já reproduzimos uma narração, remeteu à *Light* (1915, p. 356) este incidente que lhe é pessoal:

> Durante o verão de 1867, achava-me em Rothsay com a minha família. Meu cunhado, George Anderson, de Glasgow, me remetera de presente um belo cão da raça *collie*. Era um animal muito vivo e, infelizmente também, indisciplinado. Eu não tinha muita paciência para o educar e Rover muitas vezes se metia e a nós todos em embaraço devido aos seus modos.
> Tínhamos então o hábito de ir pescar à tardinha na baía de Glenburno. O cão nos acompanhava e, quando entrávamos no pequeno barco, ele esperava por nossa volta, errando livremente pela praia. Tudo foi bem durante cerca de um mês, mas um dia o chefe de polícia mandou me procurar não oficialmente para me dizer que um cão idêntico ao meu havia espantado um cavalo atrelado a uma carruagem e que essa virara com a dama que nela se achava. Em consequência disto, o chefe de polícia me persuadiu a desfazer-me imediatamente do animal, se eu não quisesse incorrer em outras penalidades. Não havendo nenhum meio de subtrair-me a esta intimação, enviei o cão a um funcio-

nário da polícia com a ordem expressa de levá-lo à baía e de ali afogar o pobre animal. Fiquei bastante triste com a sorte imposta ao nosso Rover e meus filhos ficaram desolados, porque o animal se ligara a eles de uma maneira especial, mas se devia obedecer à lei.

Continuamos a ir pescar todas as tardinhas. No terceiro dia da morte de Rover, quando estávamos de volta, pouca distância da porteira da entrada da casa, todos nós três exclamamos ao mesmo tempo: "Olha lá o Rover!" Sim, ele estava lá, com efeito, à nossa espera, no solar da casa! Evidentemente o homem encarregado de suprimir o animal não o fizera. Foi o que pensei logo, e era bem natural que eu assim pensasse, pois que o Rover estava diante de nós, perto da gamela, sacudindo a cauda e nos olhando com um ar alegre. Abrimos a porteira e nos dirigimos para ele, mas, repentinamente, vimos que desaparecia. Não podia haver dúvida no fato de que nós o havíamos visto efetivamente, seguramente, todos nós três. Minha esposa insiste em afirmar que o cão parecia fosforescente, mas, para mim e para a nossa filha, era o nosso Rover, nem mais nem menos.

Mesmo se devêssemos passar por crédulos, persistimos em estar convencidos de ter visto, simultaneamente, o fantasma objetivo de nosso cão Rover, pois parecia a tal ponto natural que eu não podia supor senão que o funcionário, ao qual eu o enviara, não o matara. Não tenho uma explicação para fazer valer de modo especial. Observo, unicamente, que o fato, para três pessoas, de ver coletivamente um cão que tinha sido afogado três dias antes constitui uma prova de sua sobrevivência, mais convincente do que tantas outras que nós, espíritas, aceitamos como suficientes no decurso de nossas sessões.

Como se pode ver, as conclusões dos percipientes que narraram estes fatos são todos acordes em afirmar a sua certeza inabalável de se terem achado em face de fantasmas objetivos de animais. Não se pode dizer que estejam errados, mesmo de um ponto de vista rigorosamente científico, sobretudo no que concerne aos quatro últimos casos, que são de natureza coletiva, e dois dentre eles também de natureza sucessiva, isto é, que os fantasmas animais foram percebidos por pessoas diversas e afastadas umas das outras, circunstâncias todas que servem para eliminar, de modo absoluto, a explicação alucinatória dos fatos – a única hipótese que se possa cientificamente opor à transcendental telepático-espírita.

Conclusões

Chegados ao término desta classificação, não nos resta senão lançar um olhar retrospectivo sobre o caminho percorrido e recordar as principais considerações que os fatos nos sugeriram, condensando-os numa síntese.

No que diz respeito às nossas repetidas afirmativas em favor da existência real das manifestações telepáticas nas quais os animais desempenham o papel de agentes ou de percipientes, assim como os fenômenos de assombração ou aparições de outra espécie, nas quais os animais são percipientes juntamente com o homem, não parece nada científico levantar ainda reservas ou dúvidas, pois os casos expostos nesta classificação bastam para provar o bom fundamento de nossas afirmações. Com efeito, nos exemplos que relatamos, figuram as principais formas das manifestações de assombração, aparições e os fenômenos supranormais similares.

Além disto, as nossas afirmativas são controladas de uma maneira decisiva por alguns dados estatísticos que podem ser colhidos nos cento e trinta casos enumerados nesta obra. Resulta, com efeito, do exame deles que os fatos, nos quais os animais perceberam manifestações supranormais anteriormente ao homem, são em número de vinte e cinco; os casos, nos quais os animais pareceram perceber manifestações supranormais quando os homens não percebiam nada, são em número de dezessete. Ora, este quadro é bastante para autorizar-nos a tirar dele as inferências que sugerem os fatos em questão. A principal inferência que se deve tirar dele é a seguinte: os casos, nos quais os animais percebem, antes do homem, manifestações supranormais ou as percebem quando elas são despercebidas pelo homem, apresentam um valor decisivo em favor de nossa hipótese, pois que provam que não existe qualquer hipótese racional a opor à que considera os animais como sendo dotados de faculdades supranormais subconscientes como o homem.

Estas conclusões, solidamente fundadas em dados estatísticos, são ainda confirmadas pelas manifestações que mencionamos na quinta categoria, na qual tratamos de cães que 'prenunciam a morte', isto é, de cães que anunciavam, por meio de uivos bem característicos e prolongadamente lúgubres, a morte iminente de uma pessoa da família a que pertenciam e ali perseveravam até o decesso da pessoa em questão, manifestações que demonstram a existência, na subconsciência animal, de faculdades premonitórias e, por consequência, de uma outra faculdade supranormal a acrescentar às enumeradas mais acima. Esse dom misterioso era, aliás, já universalmente atribuído ao mundo animal sob a forma de previsão de perturbações atmosféricas iminentes ou da iminência de tremor de terra e de erupções vulcânicas.

Na base dos fatos recolhidos, deve-se, pois, afirmar, sem medo de errar, que o veredito da futura ciência não pode ser senão favorável à existência, na subconsciência animal, das mesmas faculdades supranormais que encontramos na subconsciência humana, e, como o fato da existência latente, na subconsciência humana, de faculdades supranormais, independentes da lei da evolução biológica, constitui a melhor prova em favor da existência, no homem, de um espírito independente do organismo corporal, e, por conseguinte, sobrevivente à morte desse organismo, é racional e inevitável inferir-se daí – já que na subconsciência animal são encontradas as mesmas faculdades supranormais – que a psique animal está destinada a sobreviver, ela também, à morte do corpo.

Estas considerações, logicamente, irrepreensíveis, tinham, porém, ainda necessidade de uma confirmação complementar no terreno experimental. Se a hipótese da existência, nos animais, de uma psique sobrevivente à morte do corpo tem fundamento, deveria haver casos de aparição *post-mortem* de fantasmas animais de uma maneira análoga à que se realiza para o homem. Pois bem, esta demonstração complementar é fornecida no decurso de nossa classificação na qual foi citado um número suficiente de fatos desta espécie, onde encontramos os mesmos traços característicos que servem como provas de identificação espírita nos casos correspondentes de fantasmas humanos.

Os ANIMAIS TÊM ALMA? | 147

Chegamos assim a demonstrar a existência de dois grupos de fatos que constituem o problema a resolver, isto é, que, na subconsciência animal, encontram-se as mesmas faculdades supranormais que existem na subconsciência humana e que os fantasmas de animais mortos se manifestam como os fantasmas humanos. Dever-se-ia então considerar que se conseguiu a demonstração necessária para provar a existência e a sobrevivência da psique animal. A hipótese em apreço não podia ser então considerada senão como cientificamente legítima, embora ainda apenas a título de 'hipótese de trabalho', esperando julgá-la como uma verdade definitivamente adquirida para a ciência quando o acúmulo dos fatos nos permita analisar a fundo este assunto tão importante.

O assunto, todavia, atingiu um grau de maturidade suficiente para autorizar a formular alguns resumos sobre as consequências filosóficas e psicológicas que apresentará o fato da existência e da sobrevivência da psique animal. É o que me proponho a fazer sumariamente para completar e confirmar a tese sustentada, isto é, que, depois de ter fornecido a prova experimental da existência e sobrevivência da psique animal, vou demonstrar ulteriormente a validade e a necessidade dela do ponto de vista das leis que governam a evolução biológica e psíquica dos seres vivos, e também em nome da eterna justiça.

♦ ♦ ♦

Os homens de ciência, que professam convicções materialistas, sustentam, muitas vezes, que o espírito dos animais, como o dos homens, sendo uma simples função do órgão cerebral, deixa de existir quando esse órgão cessa de funcionar por força da morte. Nada de inconsequente nesta teoria pela qual o destino dos animais é igualado ao dos homens, porém a inconsequência existe, ao contrário, entre os crentes na existência da alma humana, assim como entre os profitentes de diferentes confissões religiosas, como entre uma parte dos adeptos das doutrinas espíritas, que supõem, por sua vez, que o espírito dos animais é muito imperfeitamente organizado para sobreviver à morte do corpo e que, consequentemente, ele se dissolve nos seus elementos constitutivos, dissolvendo-se praticamente no nada, precisamente como o afirmam os materialistas.

Quero observar, primeiramente, que estas teorias são muito perigosas para a doutrina da sobrevivência espiritual humana, pois que nos levam a admitir que uma simples diferença de grau na evolução do espírito basta para decidir o seu destino, às vezes caduco sem nenhuma falta, outras vezes imortal sem a sombra de mérito. E então que pensar da sorte de uma grande parte do gênero humano? Com efeito, se nós reconstituirmos a história da espécie humana com o auxílio da paleontologia, chegaremos a um ponto em que o homem da antiguidade pré-histórica mais recuada se confunde com as formas animais mais elevadas. Se o mesmo se deu com as raças humanas existentes, com a ajuda da antropologia, chegamos a algumas tribos selvagens muito pouco elevadas acima dos animais com que viviam e em que a degradação dos indivíduos atingiu o ponto de se mostrarem desprovidos de todo senso moral, com uma mentalidade apenas suficiente para os guiar nas necessidades materiais de sua miserável existência, mais ou menos iguais às dos animais. Pode-se então perguntar: "Em qual grau da elevação psíquica o espírito de um indivíduo torna-se bastante evoluído para resistir à crise da separação do organismo corporal sem se dissolver nos seus elementos constitutivos?" Devemos considerar que os nossos primeiros ancestrais, bem pouco evoluídos acima dos macacos antropoides, e certos selvagens de nossos tempos, dos quais podemos dizer outro tanto, são bastante evoluídos espiritualmente para merecer o dom da imortalidade, enquanto que um generoso representante da raça animal, que perde a vida tentando salvar uma criança que se afoga, ou que morre de dor sobre o túmulo de seu dono, deverá morrer para sempre, sem ter ultrapassado essa pretensa barreira dos imortais? Uma diferença de grau na evolução espiritual dos seres não implica de modo algum uma diferença *qualitativa*, mas unicamente *quantitativa*, e esta não pode representar senão a expressão exterior de um espírito que está ali encarnado em *potência* e que não pode ser senão idêntico, em *essência*, ao espírito que se manifesta nas mais inferiores raças humanas, passadas e contemporâneas, bem como nas mais civilizadas raças atuais. Em outros termos, a vida, em todas as suas formas e em todos os seus casos, é a expressão, em um meio terrestre, de um espírito que se encarnou numa certa síntese de matéria organizada e indica o grau de evolução ao qual chegou esse espírito, e é tudo, pois o espírito, *por si próprio*, só pode ser absolutamente idêntico aos outros espíritos que animam o grau de processo atingido. Se eu precisasse recorrer a um exemplo para esclarecer esta ideia, falaria de uma chama colocada dentro de um vaso de cristal e cuja claridade brilhasse sem obstáculo, enquanto que uma outra, colocada num vaso de porcelana, só lançasse uma luz atenuada, e uma terceira, colocada num vaso de faiança, não desprendesse nenhuma luz, salvo pelos interstícios que poderiam existir nos lados – interstícios que, nos animais, corresponderiam aos 'respiradouros' pelos quais emergem as faculdades do instinto e algumas vezes pelas rachaduras que poderiam ocorrer no vaso – elas explicariam a emersão das faculdades supranormais subconscientes. Pode-se então concluir que são do mesmo modo os destinos do espírito, nas suas inúmeras fases de encarnação, durante as quais o que muda são os invólucros que ele reveste e não o espírito, que permanece *em potência* inalterado e inalterável.

Naturalmente, para reconhecer esta verdade fundamental da evolução da vida nos mundos, precisamos desligar o nosso espírito das doutrinas pueris absorvidas durante a adolescência, segundo as quais a alma é criada do nada, no momento do nascimento. E uma vez que ficarmos livres dessa crença absurda, só resta aderir à única doutrina capaz de explicar a evolução espiritual da vida: a da reencarnação progressiva de todos os seres vivos, doutrina que tem sido intuitivamente conhecida pelas raças mais diversas desde a mais remota antiguidade.

Há alguma coisa de anticientífico em se supor que a evolução biológica da espécie, ilustrada pela ciência, seja regulada por uma evolução correspondente e paralela do espírito, que se individualizaria gradual e lentamente, ganhando uma consciência própria, sempre mais forte, graças ao acúmulo de uma série de experiências adquiridas na passagem através de uma multidão de existências vegetais, animais e humanas?

Como quer que seja, não é menos verdade que a teoria da sobrevivência da psique animal – sobrevivência que, como se pôde ver, resulta incontestavelmente dos fatos observados – deixaria de ter uma base racional se ela não fosse completada pela hipótese reencarnacionista, porque não se poderia admitir uma condição de existência espiritual dos animais sem a qual um quadrúpede, um réptil, um pássaro etc. devessem permanecer como tais eternamente. Segue-se daí que as formas animais da existência terrena, do mesmo modo que as graduações das raças humanas, não podem ser senão consideradas como formas transitórias por meio das quais todos os seres vivos devessem passar, sem o que a vida do universo não se explicaria e seria sem finalidade, como não existiria, aliás, qualquer justiça no mundo.

Insisto neste ponto: que a escala infinita dos seres vivos só pode ser a expressão das manifestações da alma nas suas etapas progressivas de elevação espiritual. O que se tornou *atual* no homem, graças a uma longa evolução, fica *potencial* nos seres inferiores. A *involução* precede a *evolução*. Não é, portanto, a matéria que faz evoluir o espírito, é o espírito que, para evoluir sozinho, precisa de todas as fases de experiência que ele poderá obter na Terra, e, por consequência, tem necessidade de se revestir de todas as formas sucessivamente mais refinadas que lhe pode oferecer a matéria organizada. As leis biológicas da 'seleção natural', da 'sobrevivência do mais capaz', da 'influência do meio' não são senão os acessórios mais indispensáveis para essa evolução, mas a verdadeira causa da evolução dos organismos vivos é interior e se chama *espírito*.

Uma das melhores definições compreensíveis sobre a natureza íntima dos processos evolutivos nas individualidades vivas foi ditada mediunicamente à *lady* Cathness, que a transcreve no seu livro *Old truth in new light* (*Antiga verdade com nova luz*). Embora essa dama fosse inglesa, esta definição lhe foi dada em francês. Reproduzo-a tal como é:

O gás se mineraliza,
O mineral se vegetaliza,
O vegetal se humaniza,
O homem se diviniza.

Se fossem acolhidas as conclusões acima, em favor da existência e da sobrevivência da psique animal e de sua passagem ascensional através da escala dos seres por meio das reencarnações sucessivas até o ponto de se humanizar, uma nova luz esclareceria assim o eterno problema que todas as filosofias e todas as religiões se propuseram a resolver: o do fim da vida no universo. Infeliz o povo que perder toda a fé nos altos destinos do ser! Todos, aqui na Itália, nos lembramos das palavras desoladas pronunciadas no seu leito de morte, pelo eminente filósofo Roberto Ardigo, que tentara por duas vezes suicidar-se: "Deixai-me então morrer! Para que serve a vida?" Palavras que repercutem como uma condenação terrível, contra as teorias positivistas--materialistas professadas de boa fé por esse ilustre pensador. Somos levados a exclamar: "Eis, pelo menos, um filósofo de acordo com as suas próprias convicções!" Sua desoladora concepção materialista da vida o havia levado racionalmente, inevitavelmente, a concluir que a vida não tinha nenhum fim, porque, se tudo termina com a morte do corpo, para que serve ter vivido, ter contemplado por um instante a grandeza do universo, ter estudado durante toda a sua vida, ter do mesmo modo sofrido, moral e fisicamente? Talvez para o bem das futuras gerações? Mas, se essas, por sua vez, deverão desaparecer sem deixar traços, se, num certo número de séculos, por força do resfriamento progressivo da Terra, nosso mundo deverá morrer, ele também com todos os seres aos quais dá a vida – e, se é esta a sorte extrema de todos os mundos espalhados pelo universo, para que serve então a elevação progressiva da humanidade? Para que o culto da arte, do belo, do bom? A febre de saber, de se consagrar a um ideal? Para que serve a vida? Para que servem os mundos? Para que serve o universo? E, sobretudo, qual é o fim de tantas dores materiais e morais, sofridas pelos seres aos quais foi concedido, sem que o tenham pedido, o dom nefasto da vida?

Que imensa decepção para uma alma elevada tal como a de Roberto Ardigo! Ele não podia deixar de contemplar, espantado, o abismo da vaidade infinita do todo, ele não podia impedir de se revoltar na presença dessa trágica ironia da sorte. Ele achava então melhor desafiar fortemente o destino da única maneira permitida a um vivo: libertar-se, pelo suicídio, do suplício moral de contemplar, impotente, a tragédia do ser. Roberto Ardigo foi consequente com ele mesmo e os filósofos, que compartilham das suas convicções materialistas e que apesar disto não acabam como ele pelo suicídio, são infelizmente inconsequentes, o que se deve atribuir ao fato de que, nos arrefolhos das suas subconsciências, existe uma centelha divina que sabe ser imortal e que consegue transmitir às suas subconsciências uma vaga intuição da verdade. Então, sem se darem conta disto, eles pensam de uma maneira e agem de outra.

Já é tempo de dispersar, nos meios filosóficos e científicos, os asfixiantes vapores do positivismo materialista, proclamando ao mundo a feliz nova que, no mais ensolarado alto da majestosa árvore do saber humano, brotou um outro ramo luxuriante e fecundo de frutos regeneradores, ramo que se chama a ciência da alma e graças à qual se demonstra a vaidade, a incoerência, o erro da concepção materialista do universo. Ela demonstra também, esta ciência da alma, que a germinação da vida nos mundos tem por fim a evolução do espírito que, tendo-se encarnado, *em potência*, na matéria, deve-se elevar-se ao estado de uma perfeita individualidade consciente, moral, angélica, graças a inúmeras experiências que alternam com ciclos de existência espiritual, sempre mais sublimes, até atingir os supremos cimos de identificação com Deus, o fim supremo do ser. Isto não significa, de modo algum, o aniquilamento do eu e sim a sua integração com o divino, sem nada perder de sua própria individualidade, como as células do organismo humano concorrem para criá-lo, sem nada perder da individualidade que lhes é própria. Em outros termos: ao microcosmo-homem, suprema síntese polizoica e polipsíquica no domínio do relativo, corresponde o macrocosmo-Deus, síntese transcendental polipsíquica e una, eterna, incorruptível, infinita no domínio do absoluto.

♦ ♦ ♦

Eis como a alma, a evolução, os destinos do ser, são definidos nas famosas sentenças filosóficas obtidas mediunicamente por Eugène Nus:

Alma: porção de substância que Deus subtrai da força universal para cada individualidade, centro de atividade assimiladora incandescente que adquire, um a um, todos os atributos do Criador.

Evolução: as moléculas simples, mudas por atração direta, se agregam e se combinam para formar organismos diferentes, mínimos nos minerais, já sensíveis nos vegetais e instintivos nos animais.

Progredir, para o ser consciente, significa se modificar, empregando racionalmente os elementos interiores e exteriores de que dispõe.

Para os graus sucessivos, o ser consciente cumpre o seu destino, percorrendo *moralmente* a longa peregrinação da vida. Vida livremente manifestada, mas subordinada a leis necessariamente determinadas pela ordem do universo.

O fim supremo dos destinos individuais é o de concorrer para formar o ser coletivo de que somos moléculas inteligentes, da mesma maneira que o fim inconsciente, ou o destino das moléculas, das forças puramente instintivas, ou mesmo menos que instintivas, que concorrem para formar nossos organismos, é o de criar o ser individual.

Para o *todo* como para as partes, a vida é um *recomeçar* perpétuo e não é semelhante a si mesma em cada momento da sua passagem no tempo.

♦ ♦ ♦

Percebo, porém, que as especulações filosóficas a respeito do grande problema do ser me fizeram perder de vista a tese bem mais modesta que constitui o objeto desta obra. Ela consiste em um primeiro ensaio para demonstrar, por um método científico, a sobrevivência da psique animal. É preciso que voltemos ao nosso assunto e concluir, salientando que a existência de faculdades supranormais na subsconsciência animal, existência suficientemente comprovada pelos casos que expusemos, constitui uma boa prova em favor da psique animal. Para o homem, deve-se inferir que as faculdades em questão representam, na sua subconsciência, os sentidos espirituais pré-formados, esperando exercer-se em um meio espiritual (como as faculdades dos sentidos estavam pré-formadas no embrião, esperando exercer-se no meio terrestre). Se assim é, como as mesmas faculdades encontram-se na subconsciência animal, deve-se inferir daí, logicamente, que os animais possuem, por sua vez, um espírito que sobrevive à morte do corpo.

Além disto, esta tão interessante demonstração tem sido seguida de uma outra complementar e não menos estabelecida: a que foi extraída dos casos de aparição, depois da morte, de fantasmas animais identificados, daí a conclusão legítima de que tudo contribui para provar a realidade da existência e da sobrevivência da psique animal, se bem que, de acordo com os métodos de pesquisa científica, antes de se pronunciar definitivamente a este respeito, é preciso esperar um acúmulo posterior de fatos, a fim de se ter o meio de examinar a gênese deles numa vasta escala, analisando, comparando, classificando ainda longamente, enquanto não for afastada qualquer perplexidade legítima neste assunto de uma tão grande importância psicológica, filosófica, moral. Assim, apenas, o que no momento não é senão uma hipótese de trabalho suficientemente apoiada em fatos, para ser tomada em séria consideração, poderá transformar-se em verdade demonstrada.

As atuais pesquisas sobre o assunto não deixam dúvida alguma quanto ao fato de que o veredito da futura ciência deverá pronunciar-se neste sentido.

Homenagem a Ernesto Bozzano (1862-1943)

Sob o ponto de vista científico, a contribuição de Ernesto Bozzano ao espiritismo é realmente incalculável, quer em qualidade, quer em riqueza de casos e depoimentos. Influenciado pelo sistema positivista através da linha spenceriana, como ele próprio declara, nunca teve qualquer 'indício de misticismo', mas, pelo contrário, sempre foi um homem voltado para as soluções objetivas, infenso à cogitação, como se dizia muito em sua época.

Vejamos a franqueza com que Bozzano fala de seu passado filosófico:

> Uma vocação predominante me havia conduzido a ocupar-me, exclusiva e apaixonadamente, da escola científica e Herbert Spencer era, naquele tempo, o meu ídolo. Durante dois anos, eu estudara, ininterruptamente, anotara, classificara com imenso amor todo o conteúdo do seu imponente e enciclopédico sistema filosófico para, em seguida, lançar-me de corpo e alma nas lutas do pensamento, empenhando-me em polêmicas com quem ousasse criticar os argumentos e as hipóteses que o meu venerando mestre formulara. (A declaração está no primeiro capítulo de uma de suas maiores obras: *Animismo ou espiritismo?*)

Mais tarde, por estudo e observações diretas, chegou à convicção espírita e definiu sua nova posição em diversos trabalhos. Uma de suas motivações para o estudo da fenomenologia chamada paranormal foi a leitura dos *Anais de ciências psíquicas*, publicação dirigida por Dariex, mas orientada pelo professor Charles Richet, autor do *Tratado de metapsíquica*. Houve ainda outra motivação, aliás bem significativa: o debate de Richet com Rosenbach pela *Revista Filosófica*. Os argumentos que Richet contrapunha ao opositor impressionaram muito o ânimo de Bozzano, justamente pela sua consistência científica, enquanto as objeções de Rosenbach lhe pareceram logo insustentáveis pela falta de solidez. Daí por diante, Bozzano e Richet trocaram correspondência muito franca e afetuosa.

Sabe-se que Richet ficou na metapsíquica, mas deixou testemunho a respeito dos fatos e, por isso mesmo, embora não tenha chegado à doutrina espírita, é ainda citado com toda a procedência. Convém lembrar, e bem a propósito, que uma das cartas de Richet a Bozzano, naturalmente depois de muitas observações e reflexões, termina assim:

> E, agora, abro-me a você, de modo absolutamente confidencial. O que você supunha é verdade. Aquilo que não alcançaram Myers, Hodgson, Hyslop e Lodge, obteve-o você por meio de suas magistrais monografias, que sempre li com religiosa atenção. Elas contrastam, estranhamente, com as teorias obscuras que atravancam a nossa ciência.

Bozzano estudou e pesquisou muito. Leu, com afinco, tudo quanto lhe foi possível, sobre ciências psíquicas e, especificamente, sobre o espiritismo, mas não reduziu seu campo de trabalho aos estudos de gabinete, pois era um homem afeito à observação e à investigação. Corajoso em suas afirmações, proclamou a validade das teses espíritas sem temer os preconceitos acadêmicos e as ojerizas religiosas. Além de artigos em diversas revistas especializadas, Ernesto Bozzano publicou muitos livros, entre os quais *Xenoglossia, Enigmas da psicometria, Pensamento e vontade, Fenômenos psíquicos no momento da morte, Fenômenos de transporte, Metapsíquica humana, Literatura de além-túmulo, Animismo ou espiritismo?, Comunicações mediúnicas entre vivos, Desdobramento – fenômenos de bilocação*, e muitas monografias: *Breve história dos 'raps', Materializações minúsculas, Marcas e impressões de mãos de fogo* etc.

Temos aí, apenas, algumas referências biográficas, bem pouco, quase nada, sobre um estudioso e pesquisador do alto porte de Ernesto Bozzano, nascido em Gênova, Itália, em 1862 e desencarnado em julho de 1943. Neste pequeno resumo, entretanto, imprimimos todo o vigor espiritual de um preito de homenagem do Instituto de Cultura Espírita do Brasil.

Deolindo Amorim

O autor

Nascido em Gênova, Itália, a 2 de janeiro de 1862, Ernesto Bozzano dedicou-se desde cedo ao estudo, sobretudo da filosofia e das ciências exatas. Adquiriu, também, amplos conhecimentos de psicologia, astronomia e paleontologia.

Em 1891, já considerado um jovem sábio, com sólida formação positivista, converteu-se ao espiritismo, após a leitura das obras de Alexander Aksakof. A partir daí, entregou-se apaixonadamente ao estudo da doutrina. Em busca da verdade, trabalhou com mais de setenta médiuns, formando um grupo experimental de pesquisa, integrado por importantes cientistas da época.

Escreveu cerca de cem obras sobre assuntos espíritas, muitas das quais tornaram-se clássicos da doutrina. Membro do Institutte Métapsychique International, Bozzano faleceu em sua cidade natal, a 24 de junho de 1943.

Nossos Filhos são Espíritos
– 320 mil exemplares vendidos –

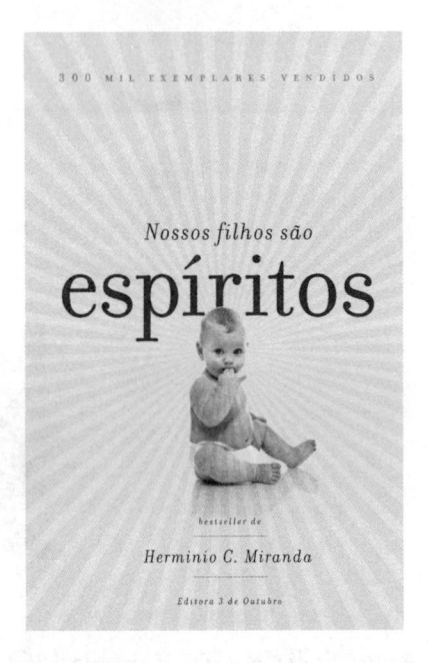

Nossos Filhos são Espíritos mostra que, além do corpinho frágil com que iniciamos nossas vidas, existe um espírito imortal, dotado de personalidade, maturidade e tendências que podem ser modificadas através da educação e dedicação dos pais. Leia e descubra como entender seu filho melhor.

Pedidos a:
INSTITUTO LACHÂTRE
Caixa Postal 164 – CEP 12914-970 – Bragança Paulista – SP
Telefone: 11 5301-9695
Página na internet: www.lachatre.org.br
E-mail: editora@lachatre.org.br

A Memória e o Tempo

Um mergulho apaixonante nos mistérios do tempo e de suas relações com a memória integral, utilizando a regressão de memória como técnica de pesquisa e instrumento de exploração dos arquivos indeléveis da mente. Com argúcia e clareza, o autor discute o conceito de tempo, reavalia os ensaios pioneiros com a hipnose, no século XIX, aborda as experiências de Albert de Rochas e as teorias de Freud, até chegar às modernas técnicas de terapia das vidas passadas.

Pedidos a:
Instituto Lachâtre
Caixa Postal 164 – cep 12914-970 – Bragança Paulista – sp
Telefone: 11 5301-9695
Página na internet: www.lachatre.org.br
E-mail: editora@lachatre.org.br

A impressão desta obra foi feita em setembro de 2021, na Assahi Gráfica, São Bernardo do Campo, SP, sendo tiradas três mil cópias, todas em formato fechado 140x210 mm e com mancha de 97x166 mm. Os papéis utilizados foram o Offset 75g/m² para o miolo e o Ningbo Star C2S Art Board 300g/m² para a capa. O texto principal foi composto em Adobe Garamond Pro 11,5/12,4, as citações em Adobe Garamond Pro 10/12, os títulos em Rockwell 20/24 e as notas de rodapé em Adobe Garamond Pro 10/12. A tradução e o prefácio da edição brasileira são de Francisco Klörs Werneck. A revisão foi feita por Cristina da Costa Pereira. A programação visual da capa foi elaborada por Andrei Polessi. O projeto gráfico do miolo foi desenvolvido por Fernando Luíz Fabris.